「表現の不自由展」で何があったのか

臺宏士
井澤宏明

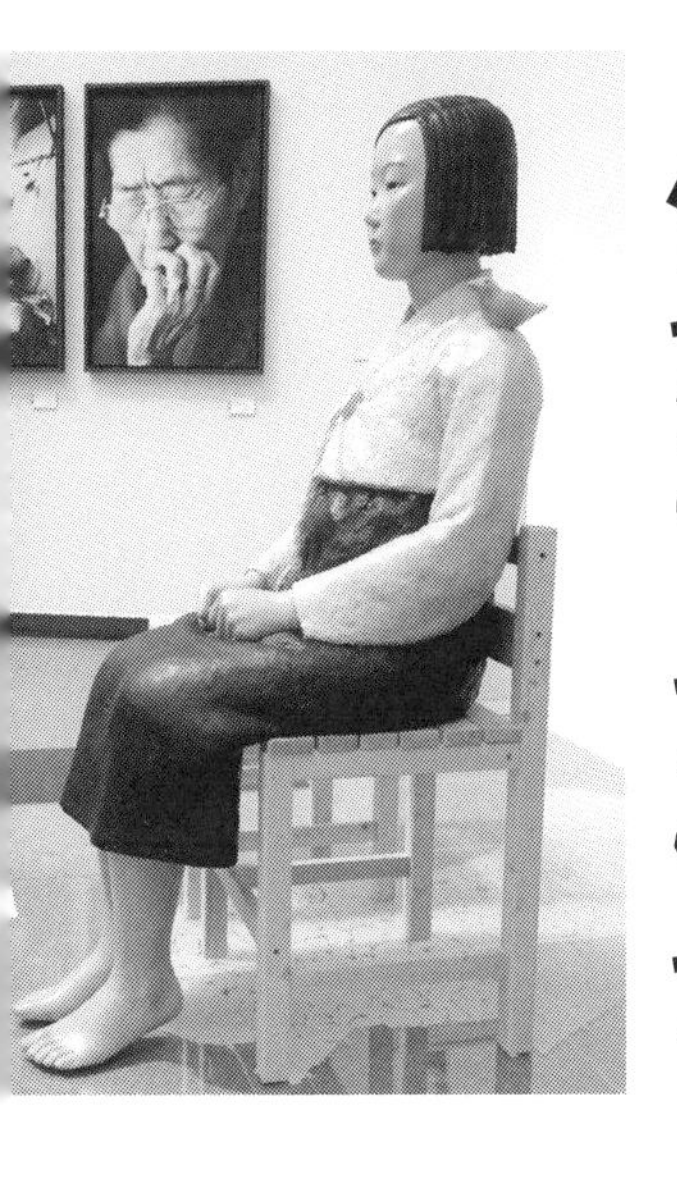

緑風出版

目　次

「表現の不自由展」で何があったのか

「表現の不自由展　東京 2022」の報道関係者向けの内覧会では、海外メディアも参加。「平和の少女像」への関心が最も高かった＝ 2022 年 4 月 2 日、東京都国立市の「くにたち市民芸術小ホール」で

第5章　広がる表現の不自由展

まえがき

「ガソリン携行缶持って館へおじゃますんで～」――。

二〇一九年八月二日朝、前日（一日）に愛知県で開幕したばかりの国際芸術祭「あいちトリエンナーレ2019」（あいトリ）の事務局にこの言葉を記した一枚の脅迫ファクスが送り付けられた。三六人もの犠牲者を出し、世界中を震撼させた「京都アニメーション放火殺人事件」（一九年七月一八日）を彷彿とさせ、企画展として注目された「表現の不自由展・その後」をわずか三日間で中止に追い込むだけの爆発的な威力を見せた。

憎悪の矛先となったのは、「慰安婦」を象徴した「平和の少女像」（正式名称は、平和の碑）だった。日本では初めて愛知芸術文化センター内にある愛知県美術館（名古屋市東区）のフ

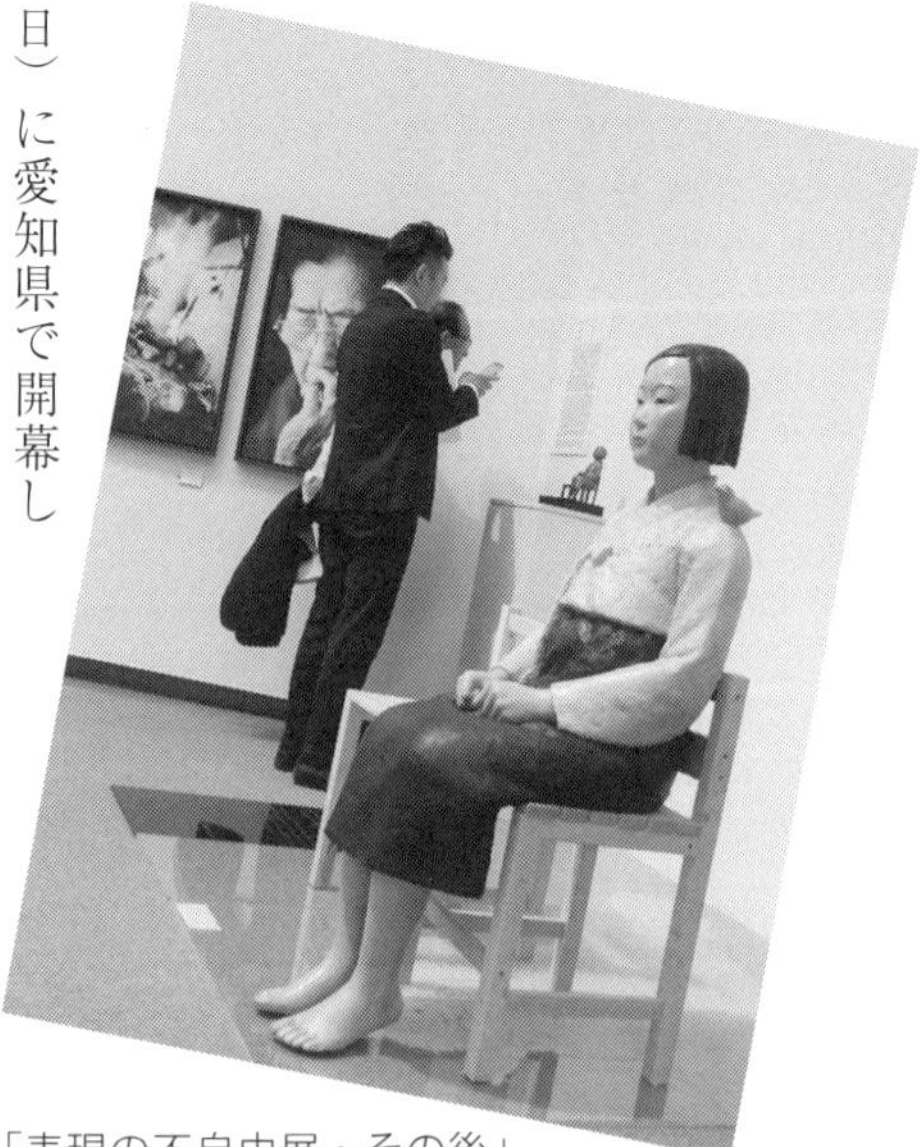

「表現の不自由展・その後」で展示された「平和の少女像」＝2019年8月1日、名古屋市東区の愛知芸術文化センターで

ロアという公立施設で展示されるということもあって国内だけでなく、韓国での関心も高まっていた。

開幕前日（七月三一日）の新聞報道で「少女像」の展示が広く知られると、「表現の不自由展・その後」には、テロ予告や脅迫など無数の刃が向けられ、民主主義社会に欠かせない多様な言論や表現に対して日本社会が極めて不寛容になっている現実を浮かび上がらせた。とりわけ、「少女像」に対する日本の政治家からの誤った歴史認識に基づくいわれのない非難やそれに同調する人たちの言説には、二〇世紀の終わりに台頭し、いまなお先の大戦に対する戦後責任をないがしろにしようとする歴史修正主義者らの罪の深さを感じざるを得ない。

旧日本軍の「慰安婦」制度や軍国主義下での天皇制、朝鮮人強制連行といった歴史認識の問題と絡んだ、メッセージ性のある作品の展示は近年、公立の美術館などでの展示が難しくなっている。過去に展示を拒まれたり、撤去されたりした作品を一堂に展示するという挑戦的な狙いの「表現の不自由展・その後」の中止は、こうした流れの中にあった。

一方、会期末（一〇月一四日）まで残すところあと一週間と迫った一〇月八日、あいトリへ作品を出品した作家や多くの人たちの熱望によって、六六日ぶりにようやくたどりつけた再開は、なお、日本社会が保つ真っ当な復元力を示したように思えた。だが、その内実は来場者数の制限や厳しいセキュリティーチェックといった鑑賞方法や報道機関の取材を厳格に

現の「不自由」 再び問う

あいち トリエンナーレ

少女像・9条俳句…「考える場に」

「消された」芸術 自由問

あいち トリエンナーレ 2019

政治色が強いなどの批判を受け、かつて美術館から撤去されたり、公開中止になったりした芸術作品を集めた展覧会「表現の不自由展・その後」が八月一日から、愛知県美術館（名古屋・栄）で始まる。アートの祭典「あいちトリエンナーレ2019」の企画の一つ。旧日本軍の慰安婦を象徴する「平和の少女像」など十七組の出品が決まった。

美術界では近年、政治性などを理由に作品の撤去、改変が度々起きている。今回は、それらの経緯の解説と併せて展示し、来場者に「表現の自由」を問いかける。

「表現の不自由展・その後」で展示される「平和の少女像」2点。ミニチュア像は2012年、東京都美術館から撤去された＝2015年、実行委員の岡本有佳さん提供

少女像は韓国の彫刻家キム・ソギョンさん(右)と夫のキム・ウンソンさん(左)が制作。二〇一二年に東京都美術館で展示されたが、来館者の指摘をきっかけに撤去された。二人は「日本をおとしめる意味はなく、平和の象徴として作った。政治と芸術は切り離せない。直接見て、意味を感じて」と話す。

一四年に政治家の靖国神社参拝に対する批判の文書などを貼り、同館に撤去や手直しを求められた造形作家中垣克久さん＝岐阜県高山市出身＝の作品や、一七年に美術家岡本光博

政治批判などで撤去 17組出品

表現の不自由展は一五年、美術評論家や編集者ら有志でつくる実行委員会が企画し、東京都内のギャラリーで開いた展覧会。今回は「その後」と銘打ち、一五年以降に規制された作品を加えた。展示は十月十四日まで。

論理や価値しっかり示せ

「情報社会の情念―クリエイティブの条件を問う」などの著書がある美術批評家・黒瀬陽平さんの話 公立美術館では、ほとんど前例がない美術展。だが規制にもいろんなレベルがあり、すべてを「表現の自由」でくくるのは、危険な面もある。規制された作品を集めただけでは、スキャンダリズムと変わらない。公共施設や公金を投じた事業である以上、市民の疑問やクレームに答える義務が発生する。作者や主催者が美術としての論理や価値をしっかり示すことができれば、成功したと言えるだろう。

「あいちトリエンナーレ 2019」の開幕前日（7月31日）の中日新聞（右）と朝日新聞（名古屋本社版）朝刊記事。「平和の少女像」が「表現の不自由展・その後」に展示されることが日本メディアとして初めて報じられた。

管理した不自由な展示会だった。

本書は、「表現の不自由展・その後」をはじめ、二〇二一年七月の「名古屋展」と「大阪展」。そして、二二年四月の「東京展」、同年八月の「京都展」「名古屋展」など「表現の不自由展」をめぐる出来事の取材記録である。

第1章

「表現の不自由展・その後」が中止

「表現の不自由展・その後」の展示会場がある愛知芸術文化センター前で再開を求める人たち＝ 2019 年 8 月 4 日、名古屋市東区で

1　「不自由展」中止に働いた力

初日の会場は平穏だった

蒸し暑い日だった。

八月一日午前一〇時、国際芸術祭「あいちトリエンナーレ2019」（あいトリ）の主会場となる愛知芸術文化センター（名古屋市東区）内に設けられた企画展「表現の不自由展・その後」の会場は、拍子抜けするほど落ち着いていた。

芸術監督を務めるジャーナリストで、メディア・アクティビストの津田大介氏らが出席する午前一〇時からの開幕イベントを素通りして、筆者は汗だくになって急いで会場へ向かった。八階にある展示会場の入り口で、「表現の不自由展・その後」実行委員会の五人のメンバーの一人であり、元NHKプロデューサーの永田浩三・武蔵大学教授から声を掛けられ

「表現の不自由展・その後」の会場に続く入口には高い壁が設置された＝2019年8月4日午前9時45分

た。

「津田さんが昨夜のレセプションで不自由展を開催する意義をしっかりと話して下さいました。心強いです」

津田氏は「表現の不自由展・その後」の発案者。芸術監督としての力の入れようが逆にそのレセプションの場にいたあいトリ実行委員会の会長代行でもある河村たかし名古屋市長の関心を引いたというのだから皮肉でもあった（会長は、大村秀章・愛知県知事）。この点は後述したい。

いずれにしてもこの時点では、一六六平米ほどの不自由展の会場は、他のどの展示会場よりも多くの人が集まり、熱心に鑑賞しているのがすぐに分かった。

約二〇作品が並ぶ中で、最も注目を集めていたのは、「慰安婦」を象徴した「平和の少女像」（正式名称は、平和の碑）だ。愛知県の施設である愛知芸術文化センターという公的な施設で「少女像」が展示されるのは国内で初めてであり、日本政府が韓国・ソウルの日本大使館前に設置された同じ型の「少女像」の撤去を求めるなどぎくしゃくする日韓間の外交問題の象徴となっていたからだ。

日韓基本条約の締結から五〇年となる一五年一二月には、安倍晋三政権と朴槿恵政権の間で行なわれた、「慰安婦」問題をめぐる「最終的かつ不可逆的な解決」をうたった「日韓合意」

は当時、外務大臣だった岸田文雄首相が交わしたもの。ところが、いまだに韓国内で日本政府の責任を追及する声が収まらない。それはこの合意が、当初から両国政府の都合を優先させた決着で、元「慰安婦」の被害女性の視点に立った解決ではなかったことが背景にあった。

「みなさん、予想以上に作品を一つ一つじっくりと鑑賞して下さっています。一人ひとりの会場での滞在時間は非常に長いようです」

永田氏の満足げな表情にホッとした。

実行委員の一人である岡本有佳氏（編集者）は一九年九月二日に日本外国特派員協会（東京）で行なった記者会見で、会場内の様子を次のように語っていた。

「少女像に侮蔑的な言葉とか攻撃的な言葉を掛ける人もいました。私たちが見守りしていましたので、その人たちに声を掛けようとした瞬間、ほかの観客の人が、『芸術作品だから静かに見ようよ』ですとか『歴史をちゃんと見ようよ』というふうに声を掛けてくださったんです。こうした感動的な場面が毎日たくさん起きるようになっていました」

来場者の中には聞こえてくる会話内容から展示に批判的な立場だろうと思わせる人や拡声器を携え映像作品を録画する人もいたが、筆者たちが会場にいた時間には他人に迷惑を掛けるような場面には出くわさなかった。会場では韓国メディアの取材に来場者も気軽に応じていたのだった。

「新宿ニコンサロン」で元「慰安婦」の朝鮮人女性を写した写真展が一時中止となった経緯について説明する安世鴻氏（右）＝ 2012 年 9 月 9 日、写真展「重重　中国に残された朝鮮人元日本軍『慰安婦』の女性たち」（東京都練馬区）で

しかし、展示はわずか三日間しか続かなかった。

「表現の不自由展・その後」を催すきっかけとなったのは、その四年前の一五年一月に民間施設の「ギャラリー古藤」（東京都練馬区）で開かれた「表現の不自由展～消されたものたち」を津田氏が訪れたことだった。

永田氏らが開いたこの「表現の不自由展～消されたものたち」は、一二年に東京・西新宿の新宿ニコンサロンで予定されていた韓国人写真家・安世鴻（アン・セホン）氏が撮影した、戦後も中国で暮らす「慰安婦」だった朝鮮人女性の写真展が直前に中止された事件（東京地裁の仮処分命令により一転、開催）や、二〇一二年に「少女像」のブロンズ製のミニチュアが東京都美術館で撤去された事件をはじめ、公立美術館などで展示を拒否されたり、撤去されたりした作品などを集めて展示したもので、津田氏はこの企画をあいトリでも実現しようと永田氏に持ち掛けた経緯がある。

当時の日本社会の表現の自由、報道の自由は「安倍政治」に大きく揺さぶられていた。一五年前後からの状況を振り返ってみたい。

安倍政権下で表現の不自由社会に

第一次安倍政権（二〇〇六年九月～〇七年九月）に続いて一二年一二月に成立した第二次安倍政権は、一三年の国家安全保障会議設置法、特定秘密保護法の制定を皮切りに、一四年に入ると、「武器輸出三原則」を改めた「防衛装備移転三原則」を四月に閣議決定し、積極的な武器輸出に道を開いた。七月には憲法九条の解釈を変更して集団的自衛権の行使を容認する閣議決定を行ない、一五年九月には安全保障関連法を成立させた。

安倍政権は軍事分野の強化と併行してメディアへの関与も強める。

一三年一一月、安倍晋三首相は、作家の百田尚樹氏ら自民党総裁、首相再登板を応援した四人の「身内」を次々にＮＨＫの経営委員に任命した。そして、一三年一二月に経営委員会が会長に選んだのは、三井物産副社長を務めた籾井勝人氏。籾井氏は一四年一月の就任会見で、国際放送に言及する中で、「政府が右と言ったことを左と言えない」などと発言し、物議を醸した。一五年四月に高市早苗総務相は、出家すると戸籍の名を変えられ、多重債務者でも多額の住宅ローンをだまし取れるという出家詐欺を取り上げたＮＨＫの「クローズアップ現代」（クロ現）でのやらせ演出疑惑に絡み、民主党政権（〇九年九月～一二年一二月）ではなかった行政指導（厳重注意）を行なった。

一方、民放に対する介入も容赦なかった。一三年七月の参院選を前に自民党はＴＢＳの「ＮＥＷＳ23」の報道内容を理由に取材拒否を表明。一四年七月には菅義偉官房長官が出演したＮＨＫの「クロ現」に官邸がクレームを付けている。自民党は一四年一一月、大幅な金融緩和を柱とした「アベノミクス」の効果が争点となった衆院選（一二月）を前に次第に鮮明になった、アベノミクス効果の富裕層への偏在に注目が集まらないよう「公平、公正に」との文書を各局に送りつけて威嚇した。テレビ朝日の「報道ステーション」（報ステ）に対しては、アベノミクス効果の課題を指摘した特集に対して、担当したプロデューサー宛に直接抗議文を送っている。

ＮＨＫ「クロ現」の国谷裕子氏、ＴＢＳ「ＮＥＷＳ23」の岸井成格氏、「報ステ」の古舘伊知郎氏が一六年春に相次いで降板した。報ステではこれに先立つ一年前の春に先のプロデューサーが他部に転出したり、シリアに入国した二人の日本人が「イスラム国」(IS)に拘束された事件に絡み、反IS支援を鮮明にした演説を行なった安倍首相を皮肉り、「I am not ABE」と番組内で発言した元経済産業省官僚の古賀茂明氏がゲストコメンテーターを追われている。古賀氏は「官邸の圧力」について最後に出演した番組内(一五年三月二七日)で暴露した。

安倍政権は一四年六月、宮澤喜一政権が元「慰安婦」への謝罪と過去への反省を表明した「河野談話」(一九九三年八月)の作成過程などを検証した「慰安婦問題を巡る日韓間のやりとりの経緯~河野談話からアジア女性基金」を公表。朝日新聞は同年八月、これに合わせるように、同紙が過去に報じた「慰安婦」報道を検証し、一部の記事を取り消した。この取り消しは、朝日が右派層などから激しいバッシングを受ける引き金となり、朝日は三件の損害賠償訴訟を起こされることになる(結果は、すべて朝日が勝訴)。また、「慰安婦」にさせられた金学順(キム・ハクスン)さん(九七年一二月死去)についての二本の記事を一九九一年に書いた植村隆・元朝日新聞記者(『週刊金曜日』発行人)が、『週刊文春』一四年二月六日号での報道をきっかけに「捏造記者」呼ばわりされる被害を受け始めたのもこの年一月だった。

こうした空気に覆われた政治状況は、市民社会へも暗い影を落とした。

一四年にさいたま市で起きた九条俳句の不掲載問題。集団的自衛権の行使容認に反対するデモに加わった経験から同市の女性が詠んだ俳句――「梅雨空に『九条守れ』の女性デモ」――が秀句に選ばれながら慣例となっている公民館だよりへの掲載が拒まれた（女性は市を相手に損害賠償訴訟を起こし、不掲載を違法とする最高裁の決定が一八年一二月に確定した）。

安保関連法が成立した一五年九月前後は、市民の公共的な場での活動が全国各地で制約を受ける事態が相次いだ。「ＳＥＡＬＤｓ」メンバーの奥田愛基氏と家族への殺害予告事件も起きている。

河村たかし名古屋市長が電撃視察

日本社会は、安倍政権が長期化する中で一九年になってもこうした状況のなかにあった。「慰安婦」や「徴用工」問題で日韓関係がこじれるなかで安倍政権は、七月には半導体など材料三品目について韓国向けの輸出規制を厳格化する措置に踏み切り、関係悪化は加速化していた。そして、「表現の不自由展・その後」の会場がある名古屋市では、永田浩三氏ら実行委員会側とは異なる歴史認識の持ち主で知られ、あいトリ実行委員会会長代行でもある河村たかし氏が市長を務めていた。

それだけに心配を抱えながら筆者は「表現の不自由展・その後」に駆けつけたのだった。会場に足を踏み入れた時に「杞憂だった」と抱いた感想が、やはり誤りだったことはすぐにわかった。

ある実行委員が「トリエンナーレの事務局には抗議の電話やメールがかなり来ているようです」と教えてくれたのだ。おそらくあの新聞記事が原因だろうとすぐに見当が付いた。七月三一日朝刊で朝日、中日(東京)が大きく報じていた。「表現の『不自由』再び問う少女像・9条…『考える場に』」(朝日新聞名古屋本社版)。愛知芸術文化センター内に設けられた「あいトリ」の主催者である、あいちトリエンナーレ実行委員会の事務局には朝から抗議電話がかかり始め、八月一日午後には電話回線がパンク状態になっていたらしい。

後になって知ったのだが、この日に事務局に寄せられた抗議や問い合わせの電話やメールなどの数は、七〇五件にも上っていたのだという。

繰り返しになるが、会場内はそのような緊迫した空気は微塵もなく、不自由展が中止に追い込まれるほどの事態に発展するとは思えないような落ち着いた雰囲気だったのである。

開幕日(八月一日)の夕方、河村たかし名古屋市長と面会した。

筆者(臺)は河村市長とは市長が衆議院議員時代に取材したことがあり、もともと面識があった。河村市長は、国民全員に一二桁の番号(住民票コード)を割り当て、コンピューターで一元管理する「住民基本台帳ネットワークシステム」（住基ネット）の稼働に反対していた数少ない国会議員の一人だった。国民総選番号制に異議を唱える一方で、歴史認識では南京事件の存在自体に疑問を呈するなど歴史修正主義者の言説と重なる政治家であったので、おひざ元の名古屋市内の公立施設での「少女像」の展示をどう見ているのかには関心があった。

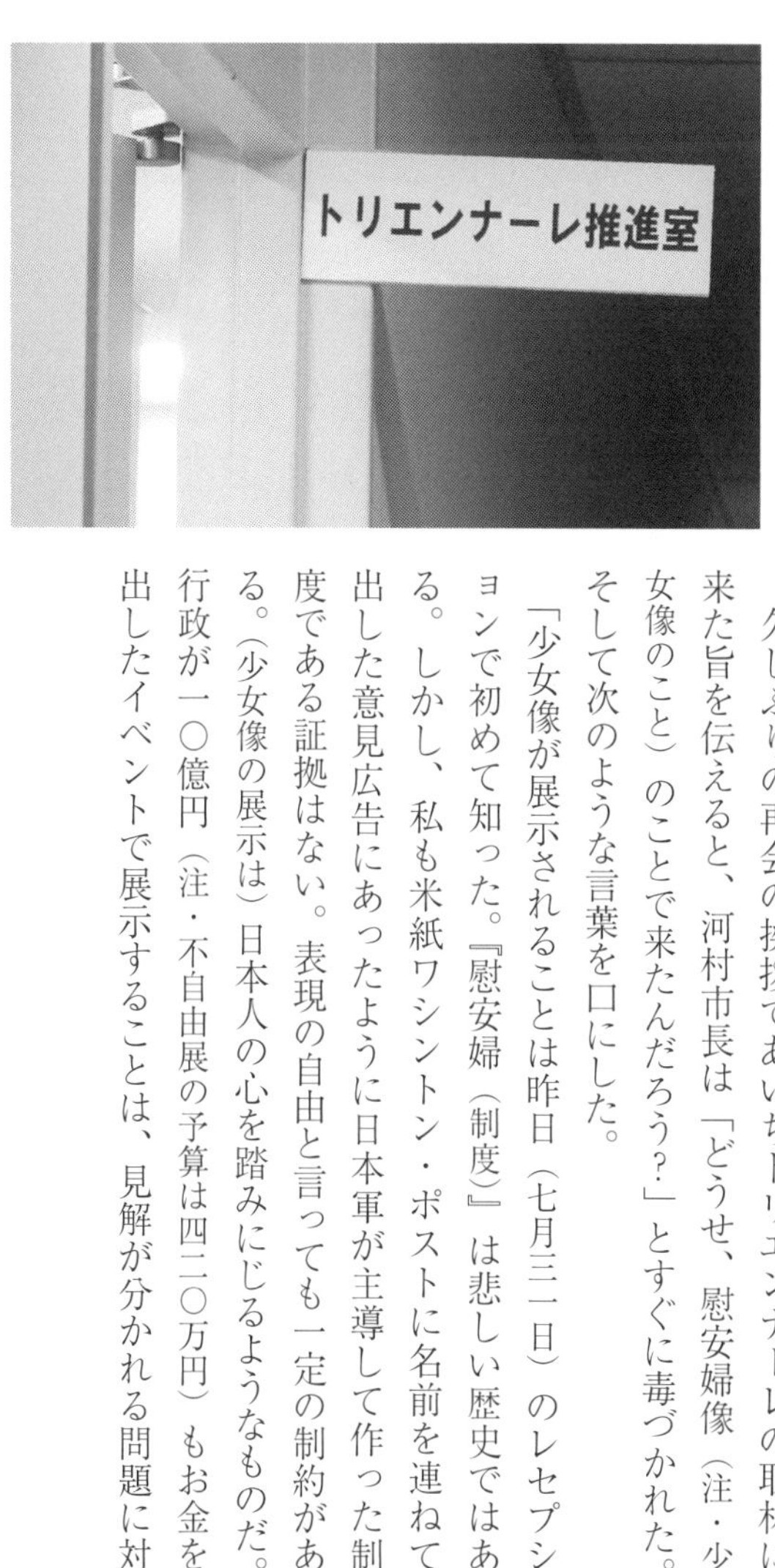

久しぶりの再会の挨拶であいちトリエンナーレの取材に来た旨を伝えると、河村市長は「どうせ、慰安婦像（注・少女像のこと）のことで来たんだろう？」とすぐに毒づかれた。そして次のような言葉を口にした。

「少女像が展示されることは昨日（七月三一日）のレセプションで初めて知った。『慰安婦（制度）』は悲しい歴史ではある。しかし、私も米紙ワシントン・ポストに名前を連ねて出した意見広告にあったように日本軍が主導して作った制度である証拠はない。表現の自由と言っても一定の制約がある。（少女像の展示は）日本人の心を踏みにじるようなものだ。行政が一〇億円（注・不自由展の予算は四二〇万円）もお金を出したイベントで展示することは、見解が分かれる問題に対して市長が一方の立場を容認したと受け取られかねない」

「あんなもんはとんでもないと思っているけど、まずは実際に見ないと何も言えないので明日（二日）、視察したあとに対応を考えたい」

視察後という条件を付けたとは言え、言葉のニュアンスからは、中止させたい考えであることは明らかだった。

あいちトリエンナーレの実質的な運営主体は愛知県とは言え、名古屋市も全体経費約一二億六〇〇〇万円のうち約二億一〇〇〇万円を負担している。繰り返すが、河村市長は、あいちトリエンナーレ実行委員会の会長代行も務めている（会長は大村秀章知事）。河村市長がこれから行なおうとする行動は、あきらかに不当な政治圧力だ。その主催者としての影響力は、無視できない存在だけにニュースにしなければならないと感じた。

こうしたテーマに関心のありそうな『週刊金曜日』の編集者に連絡を取り、「河村名古屋市長、「慰安婦」少女像展示を問題視、二日に視察へ」という見出しの記事を『週刊金曜日オンライン』で配信してもらった（八月一日午後九時一七分）。

それは次のような内容だった。

愛知県で開幕した国際芸術祭「あいちトリエンナーレ２０１９」で、「慰安婦」を表現し

た「平和の少女像」が展示されたことに対し、河村たかし名古屋市長は一日、「行政がお金を出したイベントに展示するのは、おかしい」と取材に答えた。二日、河村市長は少女像が展示されている愛知県美術館（名古屋市）を視察し、対応を検討する考えだ。

「平和の少女像」は、韓国人の彫刻家夫妻が制作した作品で、正式な名称は「平和の碑」。主催者側の説明によると、「慰安婦」被害者の人権と名誉を回復するためソウルの日本大使館前で二〇年続いた水曜デモ一〇〇〇回を記念して制作された。戦時性暴力を記憶する象徴として、韓国国内や米国に設置が広がっている。

少女像は二〇一二年、東京都美術館でミニチュアが展示されたが、撤去された経緯がある。今回のあいちトリエンナーレの企画のひとつ「表現の不自由展・その後」では、このミニチュアと合わせて二作品が展示されている。表現の不自由展は、過去の展覧会で撤去されるなどした作品を集めた企画だ。

河村市長は「少女像が展示されることは昨日（七月三一日）、初めて知った。『慰安婦（制度）』は悲しい歴史ではある。しかし、私も米紙に名前を連ねて出した意見広告にあったように日本軍が主導して作った制度である証拠はない。行政がお金を出したイベントで展示することは、見解が別れる問題に対して市長が一方の立場を容認したと受け取られかねない。ただ、実際に見ないと何も言えないので、二日に視察したあと対応を考えたい」と明かした。

あいちトリエンナーレは、愛知県や名古屋市などでつくる実行委員会が主催し、ジャーナリストの津田大介氏が芸術監督を務めている。

◇◇

同じ記事は、「ヤフーニュース」にも転載され、その大きな反響は思いもしない方面に瞬く間に広がった。コメント欄には河村市長の発言と行動を支持する声が相次いだのである。既にネット上にくすぶり始めていた抗議の声を記事は勢いづかせてしまったらしい（筆者はこの記事が掲載されるとすぐに、「表現の不自由展・その後」の三人の実行委員から抗議と記事の削除要求を直接受けた。記事の事実関係に誤りがあるわけでもなく、また表現の不自由展の名誉を傷つける内容でもない。『週刊金曜日』のＷＥＢ編集長も同じ要求を受けたが、取り下げには応じなかった。削除の要求はそれだけ表現の不自由展の実行委員が、記事が与える展示への悪影響を懸念したのだと今では、理解するようにしている）。

ストレートのニュース記事では意を尽くせなかったこともあり、河村市長の視察前に続報として「『少女像』河村名古屋市長発言、問われる公権力による制約」（二日午前九時三〇分）というタイトルで次のような解説記事を同じ『週刊金曜日オンライン』で配信した（一部字句修正）。

◇◇

愛知県美術館（名古屋市）で展示されている「平和の少女像」（平和の碑）をめぐり、河村たかし・名古屋市長が同像の視察を表明した問題は、この数年、公的な施設での市民の表現活動が公権力によって制約を受け続けている現実をあらためて浮かび上がらせた。

「行政がお金を出したイベントで展示するのはおかしい」――。

河村市長は「平和の少女像」を展示した「表現の不自由展・その後」が開幕した八月一日、そう述べて二日に展示会場を視察する考えを示した。愛知県の施設を会場に開催されている国際芸術祭「あいちトリエンナーレ２０１９」の展示企画の一つである、「表現の不自由展」は、この数年、日本の美術館などの公共空間で広がる創作作品が、「政治的な内容」を理由に次々と閉め出される異例の出来事に注目し、一人ひとりの市民が考えるきっかけを提供することが目的の一つである。

最近では、群馬県立近代美術館で「朝鮮人犠牲者追悼碑」をモチーフにした作品が公開直前に撤去されたり、さいたま市の公民館で活動する市民サークルの女性が詠んだ「九条俳句」が「公民館だより」の掲載を拒まれたりするなどした。

東京都美術館では、「平和の少女像」のブロンズ製のミニチュアが撤去されたり、東京都現代美術館では現代美術作家が、文部科学省に批判的な言葉を書いた作品の改変を求められたことがあった。

「慰安婦」をはじめとした日韓間に横たわる戦後補償問題や、平和主義を掲げた憲法九条に絡んだテーマ、原発再稼働に批判的であるなど安倍政権の基本的な姿勢と異なる活動については、とりわけ「政治的」とのレッテルが貼られる傾向にある。

「表現の不自由展」は、「その後」と銘打って、本来、だれでも表現ができるはずの「公共空間」で物が言いにくくなる日本の社会を改めて考察するための場とする狙いもあったと思われる。

「あいちトリエンナーレ」が開幕した一日、開幕式が行なわれた愛知芸術文化センター内の愛知県美術館を会場とした「表現の不自由展」には、多くの来場者が詰めかけた。撤去の憂き目に遭った作品の一つ一つを注意深く見入っている人の数は、他の展示会場を圧倒しているように見えた。主催者の一人は「一人ひとりの会場での滞在時間は非常に長いようです」と手応えを感じていた。

河村市長の元には七月三一日に二件ほど、「平和の少女像」が「あいトリ」で展示されるという情報が寄せられて、初めて知ったという。一人は名古屋市議会議長、もう一人は松井一郎大阪市長からで「本当に展示されるのか」という問い合わせだった、という。

河村市長は「(あいトリのように)行政がお金を出したイベントで展示することは、見解が分かれる問題に対して市長が一方の立場を容認したと受け取られかねない」と視察を決め

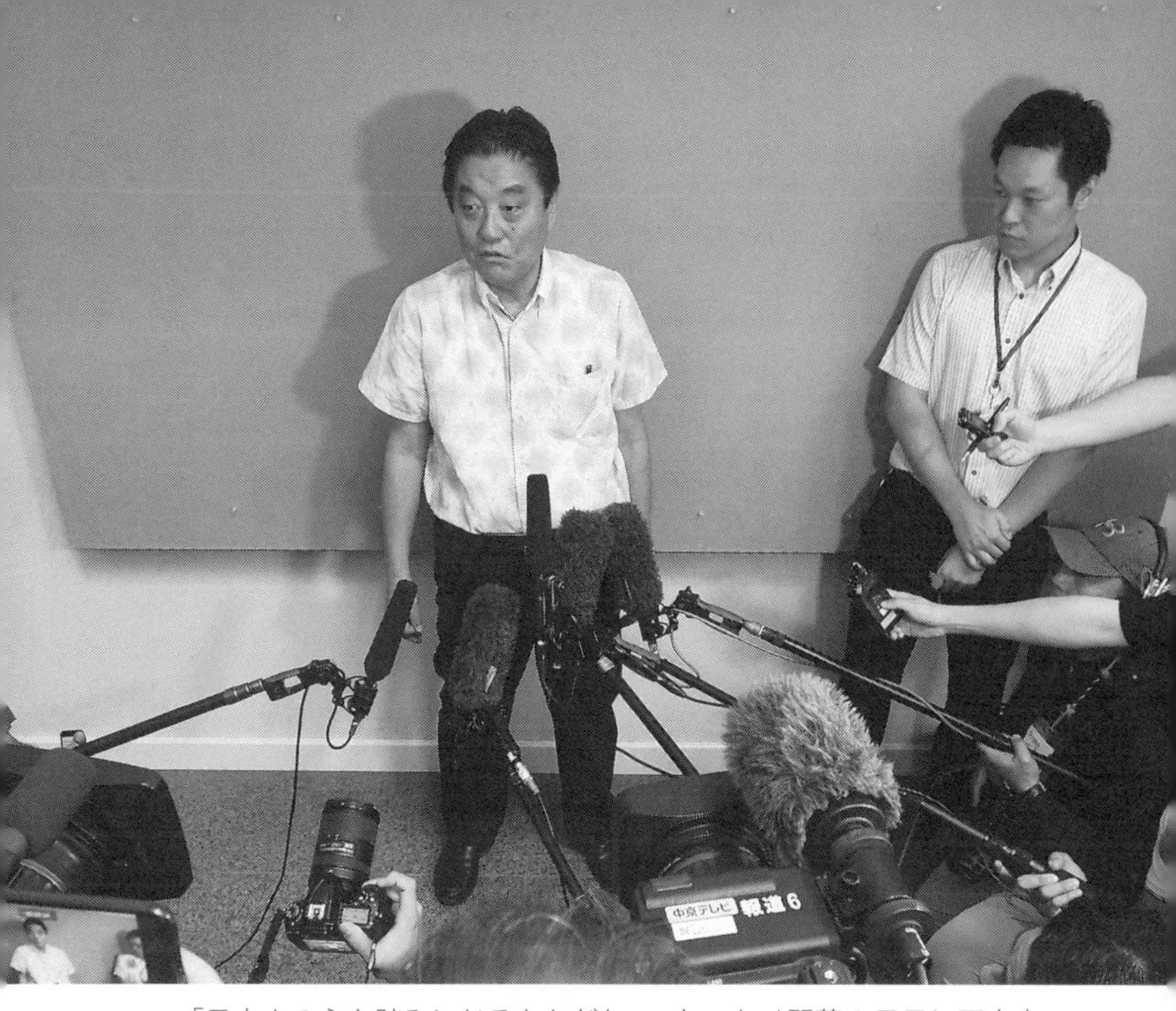

「日本人の心を踏みにじるもんだね」。あいトリ開幕2日目に不自由展を電撃視察した河村たかし名古屋市長は取り囲む報道陣に少女像の感想を聞かれ酷評した＝2019年8月2日、名古屋市東区の愛知芸術文化センターで

た理由を明かしていた。中日や朝日の記事には気づかなかったようだ。

　しかし、こうした理由でこれまで多くの創作物が人々の視野から姿を消したわけだ。「表現の不自由展・その後」の作品は、撤去の妥当性そのものを問うものでもあろう。これらの作品がもし再び、同じ理由で追いやられるとすれば、三年ぶりの開催となる今回の「あいちトリエンナーレ」の開催の意義そのものが損なわれることになる。

　芸術監督はジャーナリストの津田大介氏が務めている。芸術の善し悪しについて行政が踏み込むことに愛知県は慎重な姿勢を示し、関係者によれば、あいちトリエンナーレ実行委員会の会長を務める大村秀章・愛知県知事は、カネは出すが口は出さない、という精神で開催に臨んだのだという。

河村市長には企画の狙いを踏まえた賢明な判断を期待したい。

◇◇

このように解説記事の最後は「河村市長には企画の狙いを踏まえた賢明な判断を期待したい」と結んだのだが、河村市長は予定通り、二日の昼過ぎに表現の不自由展を電撃視察した。「日本人の国民の心を踏みにじるもんだね。まあ、イカンと思いますよ。即刻中止していただきたい、展示を。名古屋市や愛知県や日本国の金も入ってますから、あたかも日本国全体がこれを認めたというふうに見えるじゃないですか」

河村市長は、集まった四〇人ほどの報道陣の前で、筆者にしたのと同じ持論をまくしたてた。松井一郎・大阪市長から「慰安婦のやつを展示しとる。どうなっとんのや」と電話があったことも明らかにし、大村知事に対して、「即時、天皇陛下や慰安婦問題などに関する展示の中止を含めた適切な対応を求める」とする文書をその日のうちに出してしまった。

あいちトリエンナーレ実行委員会の会長代行という肩書の河村市長は、会長を相手に足元から揺さぶる作戦に出たのだった。

菅義偉官房長官「補助金不交付も」

菅義偉官房長官はさっそく八月二日の記者会見で表現の不自由展に対して疑問を呈した。「審査時点では、具体の展示内容についての記載はなかったことから、補助金交付に当たっては、事実関係を確認、精査した上で適切に対応していきたい」。菅氏は展示内容に言及したうえ、交付の取り消しに含みを持たせた。

二〇一〇年に始まった、あいちトリエンナーレは三年ごとに開催され、一九年は四回目で芸術監督には津田大介氏を迎えた。津田氏は「情の時代」をテーマに掲げ、「参加作家の男女比を同等にする」という「ジェンダー平等」を打ち出した。総事業費約一二億六〇〇〇万円のうち、愛知県が約七億八〇〇〇万円、名古屋市が約二億一〇〇〇万円を支出することになっていた。県は、文化庁から約一億三〇〇〇万円の補助金を見込んでいた。先に示したように不自由展の予算は四二〇万円だった。

政府が正式に批判的な姿勢を示したことで表現の不自由展への攻撃はいっそう勢いづいたのだった。

安倍政権はこの日、韓国を輸出優遇国のリストから外す閣議決定をし、韓国は即座に対抗措置を取ると表明。「過去最悪」と言われる日韓関係は、さらにきな臭くなっていた。

「ガソリン缶持っておじゃま」

政府の高官や政治家が、表現の不自由展への否定的な評価を示した開幕二日目の八月二日、あいちトリエンナーレ実行委員会会長の大村秀章・愛知県知事は、中止に向けて舵を切り始めていた。引き金は、この日の朝、あいトリ事務局に届いた脅迫ファクスだ。

「要らねえだろ史実でもねえ人形展示。FAX届き次第大至急撤去しろや‼ さもなくば、うちらネットワーク民がガソリン携行缶持って館へおじゃますんで～」——。

アニメ制作会社「京都アニメーション」（京アニ、京都府宇治市）の放火殺人事件を彷彿させる内容だった。

京アニは十代の若者が登場するテレビアニメ「涼宮（すずみや）ハルヒの憂鬱（ゆううつ）」「けいおん‼」「らき☆すた」といった人気シリーズを送り出すなど国内外にファンが多い。京アニ事件とはその約二週間前の七月一八日、京都市伏見区の第一スタジオが放火され、三六人が死亡、容疑者を含む三二人の重軽傷者を出した大惨事で世界的なニュースとなった。放火に使われたのがガソリンだった。

二日午前、表現の不自由展実行委員会の委員である岩崎貞明氏（ジャーナリスト）は、津田氏とあいトリ実行委員会事務局前の廊下でばったり出くわした。その際に交わした会話のなかで、津田氏が「中止を考えなければならない」と口にしたことを聞き逃さなかった。同日夕、津田氏は記者会見で「内容の変更も含めた対処を考えている」と言及したのだった。

この脅迫ファクスをめぐっては、驚くようなエピソードがある。津田氏によると、ガソリンテロを予告するファクスの発信元のコンビニエンスストアを突き止めたのは、愛知県警ではなく実は、津田氏の事務所スタッフだった、というのだ。

不自由展の中止が決まり、記者会見する津田大介芸術監督。「表現の自由を後退させた責任は非常に大きいと思う」と述べる表情には疲労の色がにじんだ＝ 2019 年 8 月 3 日、愛知芸術文化センターで

後に詳しく述べるが、愛知県は表現の不自由展をめぐり「あいトリのあり方検証委員会」（九月二六日に検討委員会に名称変更）を八月九日に設置する。一二月一八日、最終報告書の発表後に記者会見した津田氏は、次のように県警の初動捜査を批判した。

「『警察が動いてくれない』とい

う話がトリエンナーレ事務局から伝わって来たので、必要に迫られて脅迫ファクスを分析して（発信した）店舗を特定した。僕自身に『殺害予告』があったのにもかかわらず、その連絡が愛知県警から直接来なかったばかりか、僕が住んでいる東京の住所の警察から『被害届を出さないと愛知県警から聞いたが、本当か』という電話を受けた」

ヘイトスピーチ（憎悪表現）を野放しにしてきた警察の政治的中立は建前にすぎないとは言え、人命にかかわることにまで無視を決め込む愛知県警の対応は誰が見ても理解しがたい。

こうした状況をへて八月二日夜には大村知事と津田氏との間で中止に向けた調整が始まった、らしい。津田氏はその後、不自由展の実行委員と面会し、大村知事が三日午前一一時に記者会見して中止を発表すると通告した。しかし、不自由展の実行委員側は作家の了解を得ず、対策を尽くさないままの中止には反対の意向を伝え、いったんは大村知事の会見は延期された。しかし、三日夕、大村知事は開幕後の不自由展の会場を視察したり、不自由展実行委員会と直接、協議することをしないまま、緊急の記者会見を開いた。大村知事はガソリンテロ予告があったことを明らかにしたうえで、「これ以上エスカレートすると、安心して楽しくご覧いただくことが難しくなる」として、三日限りでの不自由展の中止を発表したのである。

大村知事に続いて記者会見した津田氏は「公共施設での文化事業に対して気に入らない人たちが電凸（電話による攻撃）をすると、潰すことができるという悪しき事例を作ってしまった。表現の自由を後退させた（自分自身の）責任は非常に大きいと思う」とし、中止について「安全管理上の問題が大きくなったのがほぼ唯一の理由」と強調した。

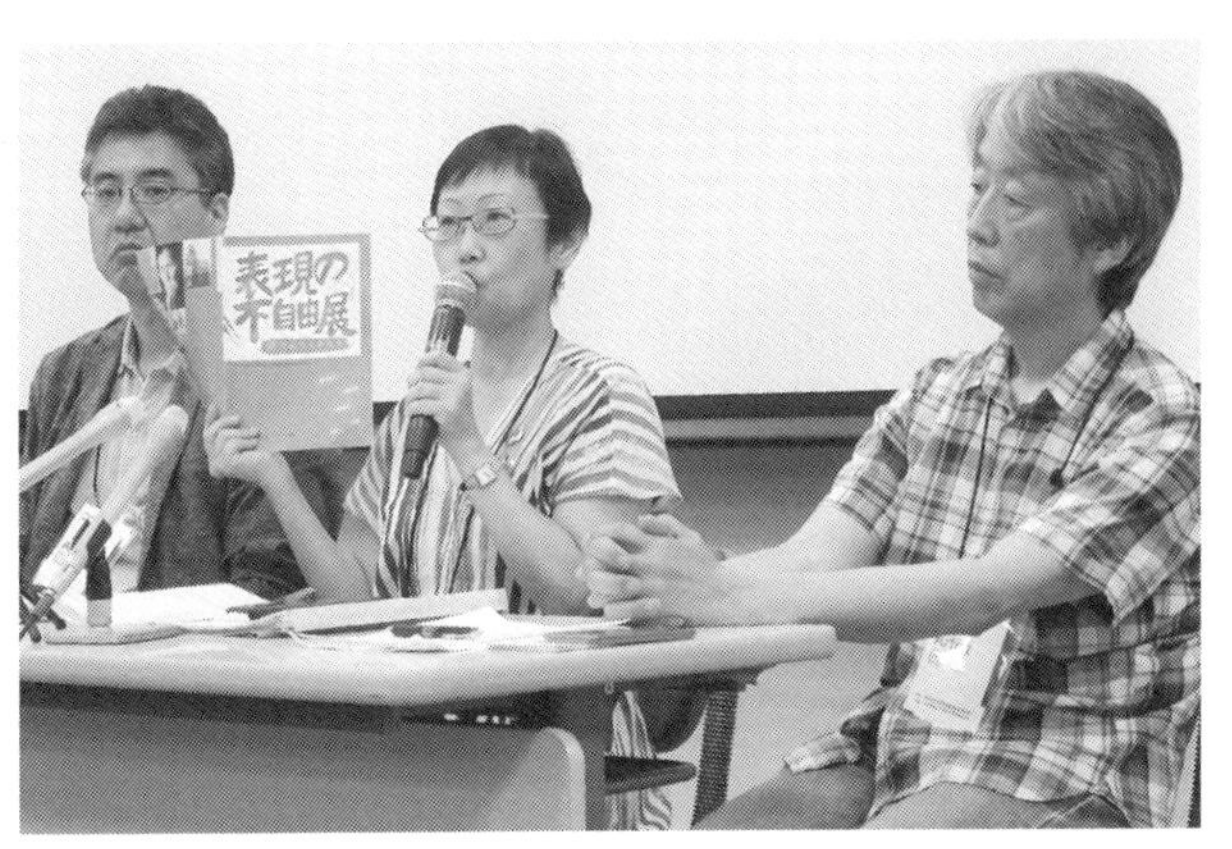

大村秀章・愛知県知事の中止判断に抗議声明を発表する「表現の不自由展・その後」実行委員会メンバー＝ 2019 年 8 月 3 日

一方、不自由展の実行委員会は三日、「圧力によって人々の目の前から消された表現を集めて現代日本の表現の不自由状況を考えるという企画を、その主催者が自ら弾圧するということは、歴史的暴挙と言わざるを得ない」との抗議声明を発表。不自由展の実行委員である小倉利丸氏（批評家、富山大学名誉教授）はこの日の記者会見で、「電凸」攻撃に対して毅然としたメッセージを発しないまま、中止を決定したとして大村知事を次のように批判した。

「今、かかってきている抗議電話は明らかな第三者によるハラスメントである、嫌がらせ行為である、日本の法律に照らしても犯罪と見なしてもよいような行為だと、大村知事が記者会見できちんとメッセージとしてメディアに向かって出してください、と（あいちトリエンナーレ実行委員会の）事務局には私たちから伝えていた。ハラスメントに対して、県として毅然と対応します、と言うか、言わないかは（電凸攻撃に対する影響が）大きい」

大村知事と津田氏は結局、作家側の了解を得ないまま中止に踏み切った。

大村知事がまず、やるべきだったのは三日の記者会見でいきなり中止を発表するのではなく、電凸を犯罪と断じ、テロに対しては断固たる態度で臨むことの表明だったのではないか。

二日朝にあいトリ事務局が受け取った脅迫ファクスの被害届（威力業務妨害等）の警察への提出が四日も後の六日になったのはなぜなのか、という疑問も当時、残った。

県の「あり方検討委員会」の調査報告書によると、脅迫ファクスが届いた二日、県のあいトリ推進室職員が電話で愛知県警東警察署に通報した。その後、同署と協議を続けた結果、六日に被害届を提出することになったとの一文があったが、これでは説明になっていない。

そして、芸術監督を務め、展示内容の最高責任者である津田氏がなすべきだったのは、二日昼に展示会場に現れたあいトリ実行委員会の会長代行である河村たかし市長に対して、「慰安婦」をめぐる歴史認識がいかに誤りであるのかをしっかりと説明することではなかったろうか。この点に関しては、津田氏からメールによる説明があったので後述したい。

不自由展は、わずか三日間で幕を閉じることになった。会場に掲示された表現の不自由をめぐる年表は、二〇〇一年から始まっている。この時はどんなことが起きていたのか。

年表が一番に取り上げた一月三〇日は、実行委員の永田浩三氏が編集長として番組制作にかかわったＮＨＫのＥＴＶ２００１「シリーズ戦争をどう裁くか」の「第２回　問われる戦時性暴力」が放送された日だ。旧日本軍「慰安婦」制度の責任者を裁いた民間法廷「女性国際戦犯法廷」を取り上げた番組だった。放送前日、松尾武・ＮＨＫ放送総局長ら幹部が、当時は官房副長官だった安倍晋三元首相と面会した後にＮＨＫ内で大幅な番組改変が行なわれた。番組制作に協力した市民団体の「戦争と女性への暴力」日本ネットワーク（バウネット・ジャパン）は女性国際戦犯法廷の主催者でもあり、「事前の説明と異なる番組を放送された」などとしてＮＨＫなど番組制作にかかわった三社を相手に損害賠償訴訟を起こした。東京高裁は二〇〇七年一月の判決で改変行為を「忖度」と表現した（東京高裁はＮＨＫなど三社に計二〇〇万円の損害賠償を命じた）。戦後の放送史に深く刻まれた政治介入事件が年表の冒頭に記されていた。

三日夜、この年表の最後には手書きで「２０１９・８　あいちトリエンナーレ２０１９『表現の不自由展・その後』中止事件」と付け加えられた。

八月五日、大村知事は定例の記者会見で、河村市長からの抗議を強い口調で次のように批判した。

「公権力を持った方が、この内容はいい、この内容は悪いと言うのは、憲法二一条で禁止された『検閲』ととられても仕方ない」。そして、続けてこう問いかけた。「行政や役所などの公的セクターこそ、表現の自由を守らなければいけない。自分の気に入らない表現でも、表現は表現として受け止めるのが憲法の原則、戦後民主主義の原点ではないか」

河村市長は同じ日の記者会見で「(少女像を)堂々と展示すると、やっぱり名古屋市と愛知県は認めたのかと。国の補助金も入っとるけど、国も韓国の主張を認めたのか、やっぱり従軍慰安婦あったのかと、そういうふうに見られるんじゃないか」とすぐに反論した。

この事件をきっかけに大村知事と河村市長の溝は深まり、河村市長は翌二〇年八月に新型コロナウイルスの感染拡大が収束しない中で、地方自治法に基づく県知事の解職請求(リコール)運動を積極的に支援していくことになる(第4章「愛知県知事VS名古屋市長」参照)。

八月四日朝、展示会場につづく入り口は大きな壁で塞がれた(一二頁写真)。

表現の不自由展に出品した作家の一人である写真家の安世鴻(アン・セホン)氏はこの日、すでに閉鎖されてしまった会場を訪ね、元「慰安婦」の朝鮮人女性を写した作品と対面した。展示作品は、表現の不自由展実行委員会の主張が通り撤去されず、来場者が訪れることのないまま静かに

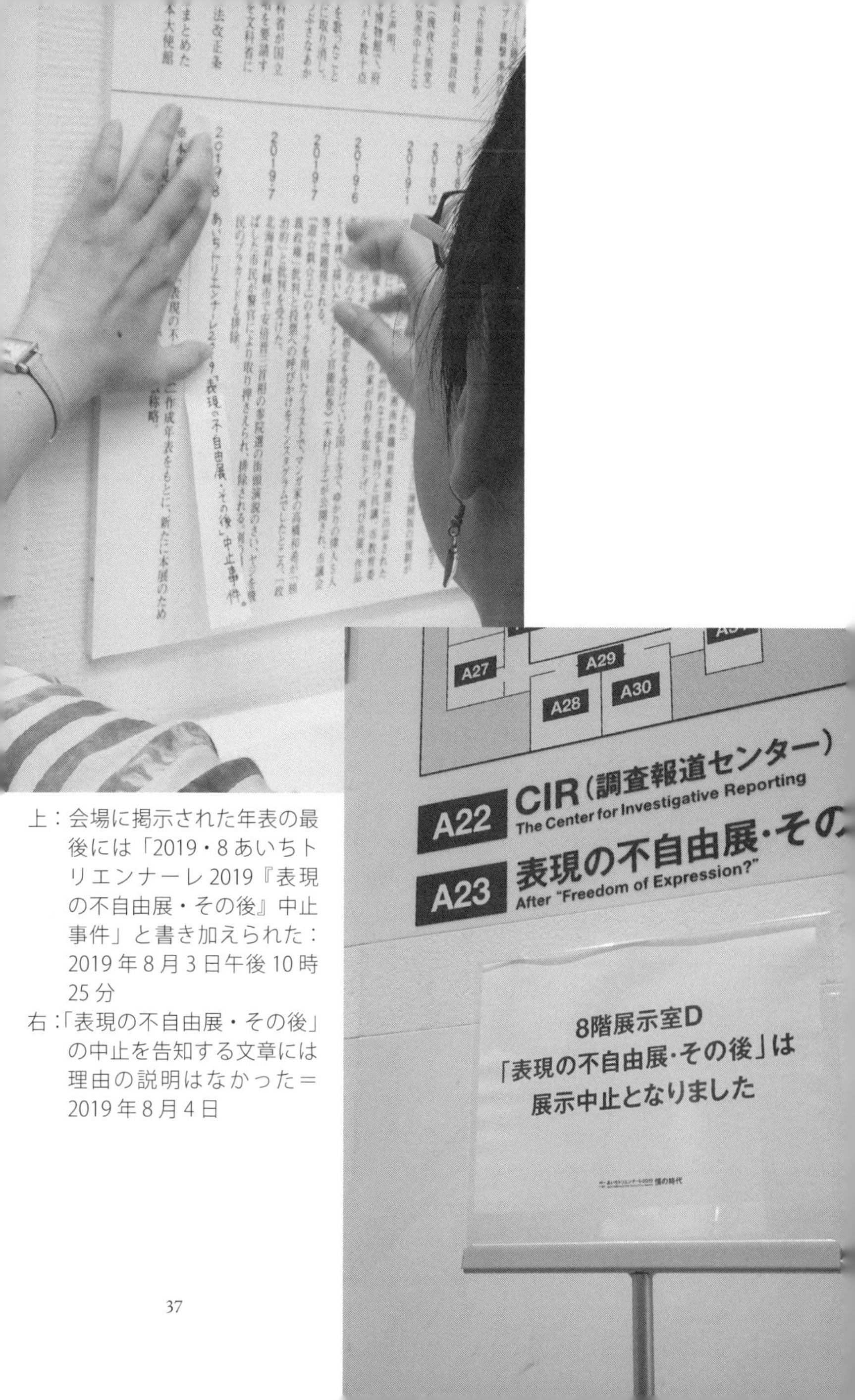

上：会場に掲示された年表の最後には「2019・8 あいちトリエンナーレ 2019『表現の不自由展・その後』中止事件」と書き加えられた：2019 年 8 月 3 日午後 10 時 25 分

右：「表現の不自由展・その後」の中止を告知する文章には理由の説明はなかった＝2019 年 8 月 4 日

再開の機会を待っていた。

「あいちトリエンナーレで展示されると聞いたときは、日本の社会も大きく進んだとうれしく思った。しかし、たった三日で中止になり、また戻ってしまった」

ただ、安氏は再開に希望を持っていた。先に触れたように新宿ニコンサロンで元「慰安婦」の写真を展示することが直前になって「政治活動」を理由に中止を告げられたが、ニコンを相手に裁判を起こし、勝訴した経験があるからだ。

東京地裁は仮処分決定で「写真文化はその扱うテーマによっては一定の政治性を帯びつつも、写真技術として、あるいは芸術表現として独立の価値を認められながら発展してきた」と指摘したのだ。

「再開への希望は捨てません」

安氏はそう語ったのだった。

韓国メディアの評価も一転

「愛知芸術文化センター」という公共施設で開かれる国際芸術祭で、「少女像」が二点そろって展示されるのは日本国内で初めてということもあって、韓国メディアの関心は極めて高かった。

最も早く報じたのは『ハンギョレ新聞』（日本語サイト）で、「タブー破り、日本最大の芸術祭で展示される〝少女像〟」との見出しで次のように事前に報じた。

〈日本社会の代表的なタブーである「平和の少女像」が、日本最大規模の国際芸術祭で、初めて完全な姿で展示される。（中略）キム・ソギョン氏は、二〇一五年に日本に持ってくるとき、目立たないように細心の注意を払ったと語った。キム氏は「日本で完全な形の少女像を公の場で展示するのは初めてだ。日本の公共美術館の（ママ）展示されること自体が大変意味のあることだ」と評価した〉（七月三〇日配信）

『ハンギョレ新聞』の報道をきっかけに多くの韓国メディアが取材のため相次いで名古屋市に入ったらしい。会場に続く入り口が封鎖された八月四日、「『表現の不自由展・その後』は展示中止となりました」と告知する案内板の近くでは戸惑う来場者の姿があった。その様子を取材していたあるテレビ局のディレクターに話を聞いた。

彼は「韓国では少女像が公的な施設で展示されるということが大きく取り上げられました。多くの人が好意的に受け止めていました」と明かした。「韓国でも名古屋市長の発言は報道されました。日本の謝罪は結局、うわべだけでやはり本心ではないという意見が出ています」

表現の不自由展が中止になったことで韓国内での日本への評価は一転してしまったらしい。

『ハンギョレ新聞』は、先の記事の最後を「愛知県は日本の中でも保守的地域の一つとされる。これを受け、日本全国の市民数十人が交代で展示場を訪れ、右翼の妨害に対応する予定だ。日本国内では安倍政府の対韓貿易規制に賛成する世論が高まっている。少女像は最後まで展示されるだろうか」と結んだが、懸念は的中してしまったのである。

旧日本軍による「慰安婦」制度への関与を認め、謝罪した河野談話（一九九三年八月）を含めてこれまで日本政府が積み重ねてきた謝罪の努力を台無しにしてきたのは、ほかならぬ政治家である。

首長が相次いで「少女像」批判

二〇一九年八月一四日、市民グループの「日本軍『慰安婦』問題解決全国行動」は、次のようなアピールを出した。

〈「平和の少女像」について、根拠も示さず「日本人の心を踏みにじる」（中略）などと平然と被害者を侮辱し、ヘイトスピーチを繰り返した河村名古屋市長および松井大阪市長と吉村

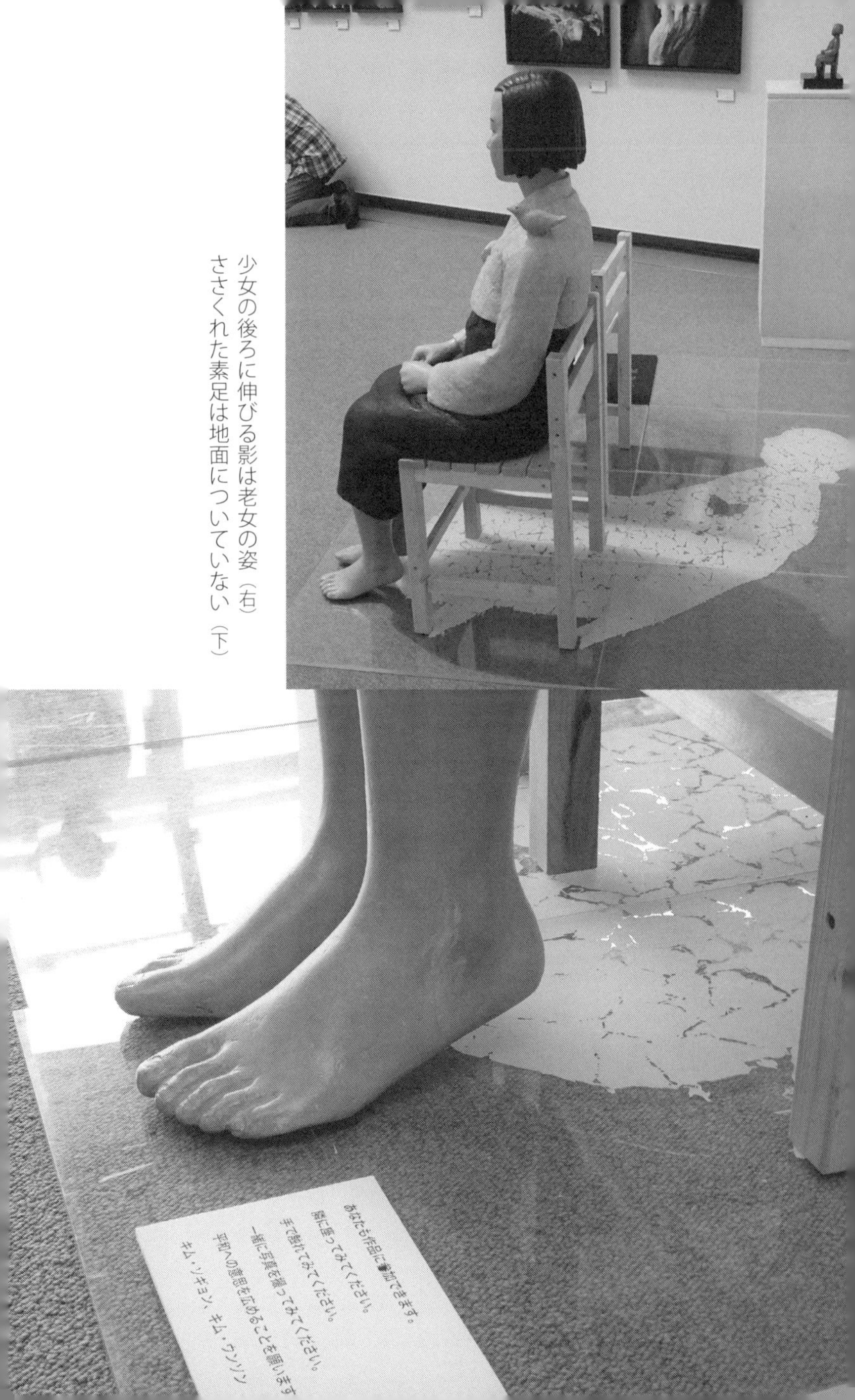

少女の後ろに伸びる影は老女の姿（右）
ささくれた素足は地面についていない（下）

大阪知事ら政治家たち。（中略）政権の意向から外れる言動や自由な表現活動は認めないとする姿勢は、かつて戦争へと突き進んだ時代のことを思い起こさせ、深い危惧の念を抱きます〉

アピールにもあるように、表現の不自由展を問題視する発言をした政治家は、河村たかし名古屋市長に限らない。すでに触れたように菅官房長官が八月二日の記者会見で「補助金交付の決定にあたっては、事実関係を確認、精査して適切に対応したい」と発言したのをはじめ、こうした文化事業で施設利用の権限のある地方自治体のトップから批判が相次いだ。標的にされたのはもっぱら「少女像」だった。

▼松井一郎・大阪市長　「展示物の内容において事実ではないデマの象徴の慰安婦像は、行政が主催する展示会で展示するべきものではない」（八月五日）

▼吉村洋文・大阪府知事　「（少女像は）反日プロパガンダだ。愛知県議会がこのまま知事として認めるのかなと思う。知事として不適格じゃないか」（八月七日）

▼黒岩祐治・神奈川県知事　「表現の自由から逸脱している。神奈川県では開催を認めない。（少女像は）極めて明確な政治的メッセージ」（八月二七日）

三人の「慰安婦」問題に対する認識は、河村市長とも重なる。

河村市長は、自らの主張の根拠として、第一次安倍政権下の〇七年六月に米紙『ワシントン・ポスト』に出した、「慰安婦」の強制連行などを否定する意見広告に触れている。「そもそも間違えとった可能性があるわけ。私も国会議員時代にワシントン・ポストに四〇人ぐらい名前連ねて、強制連行の証拠はないんだと（いう記事を載せた）」。意見広告は、首長らが口にした「強制連行はなかった」という認識を含めて五つを「事実」として紹介している。

河村市長は八月五日の記者会見で、「強制連行した証拠はない」とした根拠の一つとして、朝日新聞が一四年八月五、六日の朝刊に掲載した特集記事で、日本の植民地だった済州島（韓国）で旧日本軍の「慰安婦」とするために若い女性を強制連行したと証言していた吉田清治氏（二〇〇〇年死去）についての過去の記事を取り消したことを示した。

神奈川県では右派イベントを許可

「表現の不自由展・その後」に批判的な発言をした、四人の首長のなかでも黒岩祐治・神奈川県知事は、フジテレビという報道機関出身者とは思えないほど表現の自由への理解に乏しい。

九月三日の記者会見でも黒岩知事は少女像の展示の背景として「（文在寅政権は）最終的か

つ不可逆的に解決しましたという（一五年一二月の日韓で）合意した話を捻じ曲げて、それを徹底的に勝手にやっている」と述べた。少女像はそういう政治メッセージを含むから認めないと言いたいらしい。

一九年八月一九日〜二二日、神奈川県の施設である「かながわ県民センター」（横浜市神奈川区）で「ジャパンファースト　日中韓の戦後の歴史を知ろう」という展示会が開かれた。主催は、「日本大好き市民の会」という団体。この展示会で初めて知った団体名だ。展示テーマには、中国・北朝鮮問題、国内外の反日左翼、憲法九条問題、沖縄基地問題――などとある。不自由展と重なりそうな内容もあり、実際に見学してきた。黒岩知事が把握しているかどうかはわからないが、同じ「慰安婦」問題を取り上げた展示であっても不自由展とは反対の立場からであった。つまるところ、黒岩知事の発想は、政府の方針にあった政治的なメッセージでないと施設を貸さないという議論に結びつきかねない危険性をはらんでいる。

そもそも最高裁は、行政機関が公共施設の使用を拒否できるのは、「警察の警備等によってもなお混乱を防止することができないなど特別な事情がある場合に限られる」（一九九六年、上尾市福祉会館事件判決）と限定しているのだ。

黒岩知事の考えは、民主政治とは相容れないのではないだろうか（九月三日の記者会見で「検閲をして自分に気にくわないものも全部、表現させないという思いは全くない。率直におわびしたい」と発言を修正している）。

ＮＨＫの「クローズアップ現代＋」（二〇一九年九月五日放送）が興味深い集計を取り上げていた。番組は、「政治的中立に行政が、より配慮する動きが全国で広がっています」として、二〇一三年以降、内容の変更を求めたり、後援を断ったりするケースがＮＨＫの調べでは四三件にも上るというのである。番組では▽憲法記念日の集会▽平和のための戦争展▽憲法を考える集会▽沖縄・辺野古の写真展▽原発に関する市民運動――など七つを例示した。表現の不自由展で展示された作品のテーマとも重なっている。

「日中韓の戦後の歴史を知ろう」という展示会が、2019年８月に神奈川県の施設である「かながわ県民センター」で開かれた。

先に記したが、前年に成立した第二次安倍政権がテレビを中心に、選挙や安保、原発など重要政策に関する報道内容、ＮＨＫ人事などに事細かく関与を強めていくなかで、市民社会へも暗い影を落とし始めていく。市民社会のこうした表現の自由が脅かされる背景には、公人の誤った歴史認識があることは見逃せない。

公共空間というのは、どんな思想の持ち主であっても公権力によって利用を妨げられないというのが、民主主義社会の原則ではないだろうか。

実は河村市長自身がこうした認識と相いれないような発言を二年後に発することになるが、それは第5章「広がる表現の不自由展」で紹介したい。

河村市長の認識は、朝日新聞の「吉田証言」を検証し、取り消した特集記事の掲載に乗じて勢いを増した「旧日本軍による強制連行はなかった」→「強制はなかった」→「慰安婦は存在しなかった」とする歴史修正主義者らの言説と重なる。しかし、朝日が取り消したのは「吉田証言」だけだ。日本の裁判所が認めた元「慰安婦」や軍関係者の証言、記録も存在する。『週刊文春』の記事で被害者となった植村隆氏が発行元の文藝春秋などを相手に起こした名誉棄損訴訟では、金学順さんが無理矢理慰安婦にさせられた経緯を記した産経新聞を含む過去の報道記事が支援者らによって発掘されている。

河村市長らのこうした歴史認識は、何よりも安倍政権や、その基本政策を継承した菅政権も否定していない「慰安婦関係調査結果発表に関する河野内閣官房長官談話」(河野談話、一九九三年八月四日)にも真っ向から反する。

河野談話を改めて紹介したい。

〈長期に、かつ広範な地域にわたって慰安所が設置され、数多くの慰安婦が存在したことが認められた。慰安所は、当時の軍当局の要請により設営されたものであり、慰安所の設置、管理及び慰安婦の移送については、旧日本軍が直接あるいは間接にこれに関与した。慰安婦の募集については、軍の要請を受けた業者が主としてこれに当たったが、その場合も、甘言、強圧による等、本人たちの意思に反して集められた事例が数多くあり、更に、官憲等が直接これに加担したこともあったことが明らかになった。また、慰安所における生活は、強制的な状況の下での痛ましいものであった。当時の軍の関与の下に、多数の女性の名誉と尊厳を深く傷つけた問題である。政府は、この機会に、改めて、その出身地のいかんを問わず、いわゆる従軍慰安婦として数多の苦痛を経験され、心身にわたり癒しがたい傷を負われたすべての方々に対し心からお詫びと反省の気持ちを申し上げる。われわれはこのような歴史の真実を回避することなく、むしろこれを歴史の教訓として直視していきたい〉（抜粋）

吉見義明氏ら歴史学者によって『ワシントン・ポスト』の意見広告は検証され、今日ではそのいずれもが、「真実」ではないという有力な反論がある（岩波ブックレット「日本軍『慰安婦』制度とはなにか」など)。

『ワシントン・ポスト』の意見広告に賛同し、誤った歴史認識を持ち続ける政治家らは、まずは反論内容を熟読したらどうだろうか。

あいトリ事務局に「あなた日本人?」

あいちトリエンナーレ実行委員会の事務局には、具体的にはどんな抗議が寄せられたのだろうか。その一部については、一九年八月九日に愛知県が設置した「あいちトリエンナーレのあり方検証委員会」(座長=山梨俊夫・国立国際美術館長)の後継組織「あり方検討委員会」(九月二六日名称変更、二〇年三月二四日廃止)がとりまとめた「『表現の不自由展・その後』に関する調査報告書」(一九年一二月一八日)で明らかにされている。

その内容は、抗議などという言葉のニュアンスとはかけ離れたヘイトスピーチそのものであった。

「調査報告書」によると、「電凸」と呼ばれる抗議の中には、「京都アニメーション」事件を彷彿とさせるガソリンテロ予告のファクス(八月二日、「大至急撤去しろや‼ さもなくば、ガソリン携行缶持っておじゃますんで~」との内容)をはじめ、会場となった愛知芸術文化センターへの放火予告のほか、▽県内の小中学校、高校、幼稚園にガソリンを散布して着火する、▽県庁などにサリンとガソリンをまき散らす、▽高性能な爆弾を仕掛ける、▽県職員らを射殺する――などがあった。どれも威力業務妨害など犯罪が成立してもおかしくないものばかりだ。開幕した八月一日から三一日までの一カ月間に限っても電話、メール、ファクス計一万件余りの抗議が寄せられたという。

福岡県行橋市議の小坪慎也氏は自身のブログで、あいトリの協賛企業に抗議の電凸を集中させるよう呼びかけ、「日本有数の企業が企業活動において得た収益をもって、日本を貶めていくのかと思うと残念でなりません」「日本を代表し地域を牽引する有力企業として、御社にはあいちトリエンナーレの協賛を今から取り消して頂きたく存じます」などという「例文」まで掲載した。

不自由展中止のきっかけとなったガソリンテロ予告のファクスについては、被害届が出された翌日の八月七日、愛知県警が同県稲沢市の会社員の男を威力業務妨害の疑いで逮捕、名古屋地裁は一一月一四日、同罪で懲役一年六カ月（執行猶予三年）の有罪判決を下した。執行猶予が付いたのは謝罪し反省の意を示したからという。

九月一七日に開かれた二回目の検証委員会では、あいトリ実行委員会事務局にかかった抗議電話の音声の一部が、静まり返った会場で流された。怒鳴り声も多いので聞き取りにくいが、聞き取れた部分から抜粋してみる。

女性の声　何で「慰安婦」の像なんか出さなきゃなんないの。売春婦でしょうに。こんなもの出すぐらいなら「からゆきさん」もあったでしょうに。からゆきさんも知らないの、あんたバカじゃないの。日本の九州、四国から東南アジアに行った女性たちの話よ。（山崎朋子著の）『サンダカン八番娼館』っていう本だって出てるの。確かに売春婦として出てって商売した、そういう人が日本にいっぱいいるの。そういう人を出すなら分かるけど、どうして韓国の高級売春婦を出さなきゃならないの、日本で。あんた韓国人？　在日？　軍や国があんなの集めたっていう話は知らないし。

男性の声　これ、政治的に大問題になっている案件でしょう。どうして政治的に問題になったものを取り上げるの。これからも展示するつもりか。どういう無神経な奴だ、お前たちは。そんなことも分からんのか、バカ野郎。代われ、お前が責任者か。県が認めたんだろう。誰が認めたんだ。事務局長は誰だ。本人は出るつもりはないということか。直接は聞きたくないということか。どれだけの人が不快な思いするのか分からんのか、お前には。

男性の声　日本人をなめてる。お前たちバカなのか、大村（知事）とか。日本人としてやってるの。日本国民にケンカ売ってるようなもんだぞ。

男性の声 あなた日本人？ 表現の自由があっても、今やることではないでしょう。違うとこでやってよ、名古屋じゃなくても、日本でなくてもいいじゃん。

◇◇

筆者の取材メモには「胸が苦しくなる」と書いてあった。抗議電話に対応した職員は、精神的にも追い詰められたに違いない。

これらの抗議電話の音声について「あり方検証委員会」の上山信一副座長（慶応大学教授）から九月二五日の会合で「電凸もホームページ上に乗せて公開してしまったらいいと思う。民主主義とかソフトテロとかいう問題にかかわる重要な素材なので、展示材料としても扱う余地があると思う」という発言があった。実現はしなかったが、上山氏の提案に対しては、その後の記者会見で記者から「電凸の内容をそのまま公開した場合、ネット上に溢れているヘイトスピーチ（憎悪表現）と同じような効果をもたらす。マイノリティーは非常に傷つくのではないか」との指摘があった。

制作意図と離れた批判

〈海外の国際美術展は、近年社会のタブーを直視する政治性の強い美術表現を集め、世に問題提起を投げかけています（ママ）。「表現の不自由展・その後」にも、そうした世界潮流に呼応する意味合いがあります。本展出品作のなかに含まれる、強制連行や日本軍「慰安婦」、天皇制、在日米軍基地、政治と社会の右傾化、福島の放射性物資汚染、といった主題はまさにこの「日本社会のタブー」そのものです〉

これは、「表現の不自由展・その後」実行委員会が八月一五日に発表した声明にあった一文だ。

不自由展に出品された作品のなかで激しい憎悪の標的となったのは、一六組の作家の作品のうち、金運成（キム・ウンソン）、金曙炅（キム・ソギョン）夫妻の「平和の少女像」と、大浦信行氏の版画「遠近を抱えて」でコラージュした昭和天皇の肖像を燃やすシーンを収録した映像「遠近を抱えてＰａｒｔⅡ」（二〇分）の二作品だ。

あいちトリエンナーレ実行委員会事務局にあった抗議の内訳は、「少女像」が五割、「ＰａｒｔⅡ」が四割ほどだったという。「ＰａｒｔⅡ」は、「少女像」に集まった表現の不自由展への注目が、他の展示作品にも向けられて批判の対象に加えられた格好だった。「少女像」を強く問題視していた河村たかし名古屋市長も時間の経過とともに批判の力点が、「ＰａｒｔⅡ」に移っていったような印象を筆者は持っている。

展示された「少女像」は二点ある。

一つは、韓国ソウルの日本大使館前に設置された「少女像」と同じ型でつくられた、繊維強化プラスチック製の作品。もう一つは、高さ二〇センチほどのブロンズ製のミニチュアだ。

先にも触れたように「少女像」のミニチュアは、一二年に東京都美術館に展示されたが、美術館側の判断で撤去された。ソウルの日本大使館前の「少女像」は、「慰安婦」問題の解決を求める「水曜デモ」が一九九二年一月に始まり、二〇一一年一二月に一〇〇〇回を迎えたことを記念して制作され、設置された。

「平和の少女像」の作者・金夫妻は不自由展が再開された後の十月九日に開かれたトークイベント「《平和の少女像》はなぜここに座っているのか」で制作の意図について次のように語った。

夫の運成氏は「作品制作のコンセプトは常に、社会で目に見えなくなっているもの、隠されてしまうものを露わにすること。そして、こうした問題を見る人たちと共有する作品となることを心掛けている」とし、「そうした作品の一つとして少女像を制作した」と明かした。

妻の曙炅氏は少女像制作にあたって「一番大事だと思ったのは『共感』のキーワード。植民地の悲しい歴史の中で大変つらい思いをしたハルモニ（韓国語でおばあさんの意味）たち。（第二次世界大戦が終わり）解放後には、韓国に戻って来たが、さまざまな偏見と闘い、（ソウルの日本大使館前の）水曜デモで二〇年間闘ってきた記録、記憶を刻み込んだという思いで制作に当たった」と述べた。

曙炅氏は少女像の造形に込めた意図も説明した。

バッサリと切られた髪の毛には、故郷とのつながりが切られたこと、家族と引き離されたことへの象徴の意を込めた。

かかとがささくれた裸足は地面についていない。「これは、やっとの思いで生きて帰ってきても、韓国社会から偏見を受けたハルモニたちの心休まることのなかった気持ちの表現、韓国社会への批判も込めた表現です」

少女の後ろに伸びる影は、老女の姿だ。長い時間が過ぎたこと、ハルモニたちの痛みや苦しみを表現するために黒いモザイクで表現した。

少女像の横には空いたイスがある。「私たちは、このイスに鑑賞者が座って、少女の手を握ってくれたその瞬間に、少女像が本当の完成をみると思っている」

少女像が非難にさらされたことについて、会場からの質問に答える形で運成氏は次のように語った。

「作品がたくさんの人の目に触れることによって、非難、批判されることは怖いとは思っていない。観客には非難し批評する自由がある。我々の作品は大変政治的な部分を含んでいる。芸術というものは本来、政治的なもの。人権、平等、差別の問題、経済的な問題など、多種多様な問題を目に見える形で表現する。それが芸術だと思う。許されないのは、政治をしている者が芸術を抑圧すること。こうした芸術文化がよりたくさん発表され、認められる社会になってこそ、民主化が実現すると思う」

「今後、どのような対話の可能性があると思うか」という質問に運成氏は「（真実を）直視することが大切だと思う。直面し直視することから逃げて封印してしまったら、そもそも対話につながらないのではないか。対話のきっかけの一つとして、皆さんに見ていただきたいという思いで少女像を作ったし、発表している。どんな非難も批判も受ける覚悟があるので、是非一度きちんと見て、そこから対話を始めたいと思います」と呼びかけた。

ベトナム・ピエタ

「慰安婦」問題の解決が長引く中で、少女像は北米や豪州など韓国以外でも設置が進み、今日では旧日本軍の「慰安婦」に限らず、女性に対する性暴力被害を象徴するような位置づけになっている。抗議した側から見ると、「反日」の象徴とされる少女像だが、金夫妻はベトナム戦争に参加した韓国軍による住民虐殺への謝罪を込めた作品も制作している。犠牲に

不自由展再開後に開かれたトークイベントで、少女像の制作意図について話す金運成（右）、金曙炅夫妻。「どんな非難も批判も受ける覚悟があるので、是非一度きちんと見てほしい」と呼びかけた＝愛知芸術文化センターで 2019 年 10 月 9 日

なった子供を抱きかかえる母親の銅像「最後の子守歌」で、「ベトナム・ピエタ」とも呼ばれ、一七年に韓国の済州島に設置された。曙炅氏は「韓国内での反応は、ここでの少女像への反応とよく似ている。この問題に対して韓国は真摯に謝罪しなくてはいけない、若い人たちにきっちり教育をしなくてはいけない、という問題提起のために作品を作ったし、作品を発表しながら問題提起を続けている」と説明したのだった。

少し話はそれるが、この韓国軍による住民虐殺は二〇二一年一一月に日本で公開された韓国のドキュメンタリー「記憶の戦争」（イギル・ボラ監督）で話題になった。月刊誌『世界』二〇二二年二月号（岩波書店）の「メディア批評」で筆者（臺）の共同筆名である神保太郎名の寄稿ではこのドキュメンタリーについて次のように触れた。

〈八歳のときに虐殺で家族を失い、自らも大きなけがを負いながら生き残った女性が、二〇一八年四月にソウルで開かれた「市民平和法廷」で証言した。虐殺に加わった軍人に謝罪を求めるシーンは、二〇〇〇年一二月に旧日本軍の「慰安婦」制度の責任者を裁くために開かれた「女性国際戦犯法廷」で証言した、元「慰安婦」の姿と重なった。

両法廷とも民間法廷であり、法的な拘束力はないものの、これまで問われないままだった政府の責任を市民が追及するという点で共通していた。女性がその三年前に韓国を訪れ、証言した際には会場に軍人らが「国を救う戦争をした」と抗議に来た点でも、女性法廷となった会場周辺に集まった日本の右翼と同じだ。女性は韓国政府を相手にした損害賠償訴訟を起こし、真相究明と謝罪を求めているという。

このドキュメンタリーをＮＨＫはＢＳ１の「国際報道２０２１」（一一月二六日放送、地上波は二七日未明）で、「韓国　ベトナム戦争虐殺事件で『加害』と向き合う　韓国映画監督の思い」として特集した。イギルル・ボラ監督はインタビューで、歴史教育の重要性を強調していた。

「私は学生たちが十分に心を痛めつらい思いをするように歴史教育をしなければいけないと（授業でこのドキュメンタリーを見せると子供たちが傷つくと懸念する人たちに）伝えました。被害について教育するのと同じくらい加害についても正確に教えないといけません。そうすることで他人の痛みを自分の痛みのように感じることができるし、その痛みがどれだけ苦痛を伴うことなのかを私たちが考えることができます。それを知ったとき私たちは同じ過ちを繰り返さないと思います」（抜粋）〉

「記憶の戦争」は、「慰安婦」問題では被害者側であった韓国もベトナム戦争では加害者の立場に立つことや、どの国でも自国の加害の歴史を直視するのは難しく、そして、直視なしには真の解決とは程遠いことを示しているように思う。

「ベトナム・ピエタ」については、元「慰安婦」の故・金学順さんが一九九一年八月に実名で被害を告白した記者会見の日を記念した「慰安婦メモリアルデー」の二〇一九年八月一四日、東京・日比谷であった「慰安婦」問題の集会でも報告されていた。少女像の解釈に厚みが加わったのを感じるエピソードである。

話を表現の不自由展に戻す。

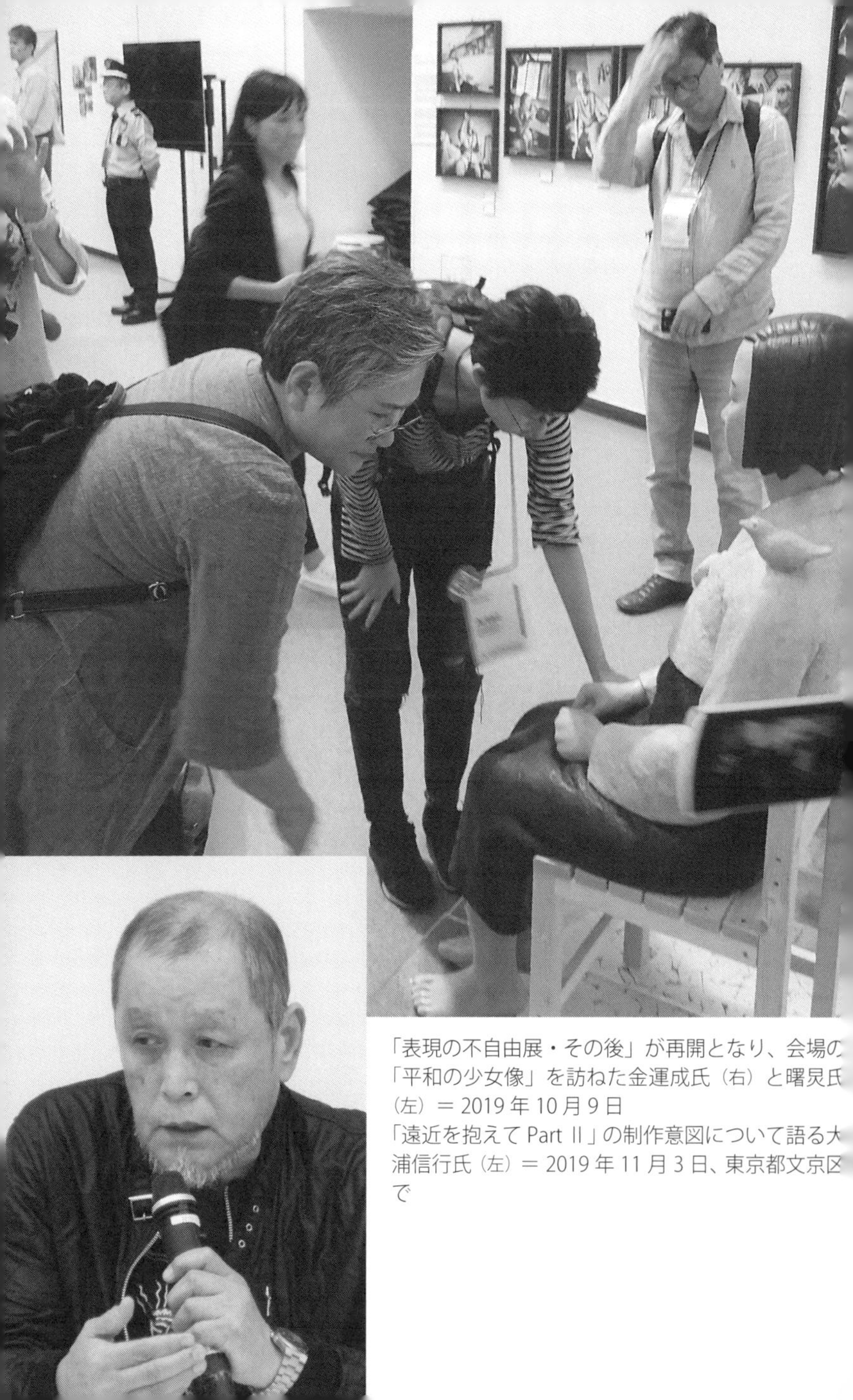

「表現の不自由展・その後」が再開となり、会場の「平和の少女像」を訪ねた金運成氏（右）と曙炅氏（左）＝2019年10月9日
「遠近を抱えてPart II」の制作意図について語る大浦信行氏（左）＝2019年11月3日、東京都文京区で

金夫妻は八月二五日に閉鎖されていた会場を訪れた。運成氏は、少女像を前に「作品たちは監獄に閉じ込められているよう…静かですね。人々と会って意思疎通したいのに」と語っていたという（岡本有佳「私たちは何を失おうとしているのか?」『世界』二〇一九年一〇月号）。

日本政府は「少女像」ではなく、「慰安婦像」という呼称を使用している。先に触れた、「慰安婦」問題の日韓合意で、少女像を撤去することが前提条件のようにみなされるなど、韓国の運動のなかで「反日」のシンボルのように扱われてきたのは確かだ。朝鮮美術文化研究が専門の古川美佳氏によると、少女像の彫刻の成り立ちについて理解するには、一九八〇年代の韓国の反独裁民主化運動と呼応して生まれた「民衆美術」をめぐる歴史を知ることが必要だという。「日本では、韓国に民衆美術が存在するという事実自体が知られてこなかったし、たとえ知ったとしても前近代的でプロパガンダ的な表現としてしか見ようとしない傾向が強かった」と著書『韓国の民衆美術　抵抗の美学と思想』（岩波書店）で指摘している。古川氏は、筆者の「多くの人に伝えていくにはどうしたらいいのか」との質問にこう答えた。

「共感を得られない方々から、『この展示をするなら、幼稚園を爆破する』とか『小学校を爆破する』といったテロの予告まであったと聞いている。大変深刻な問題だと思っている。ぜひメディアの皆さんが、正しい報道によって作品の意図をきちんと報道して下さり、たくさんの人たちが（作品に）直面し、直視する場面を作っていただきたい。そこから対話を生んでいきたいと思う」

一方、「遠近を抱えてＰａｒｔⅡ」を制作した大浦信行氏はどのような意図であったのだろうか。

大浦氏によると、そもそもの発端は、一九八六年に富山県立近代美術館で開かれた企画展「富山の美術」への「遠近を抱えて」の出展だった。一四点の連作版画シリーズのうち四点を同館が所蔵し、残り一〇点を展示した。展示会の終了後に県議が問題視し、右翼団体が押しかける騒ぎになった。同館は四点とも売却し、所蔵した四七〇部の図録も焼却処分してしまったのだ。のちに裁判にもなり、「天皇コラージュ事件」とも呼ばれた。

不自由展ではこの四点を展示し、展示に合わせた新作の映像作品として「ＰａｒｔⅡ」を上映するという企画だった。

大浦氏は制作のきっかけについて筆者のインタビューに次のように明かした。

「天皇批判という意識はないんですよ。若いとき、絵描きとしてやっていこうとニューヨークに行ったが、手応えが感じられず悶々としていた。そのとき、自分自身を描けばいいんだ、そこに自分と天皇を重ね合わせていけば、今まで気づかなかった自画像が見えて来るのではないかと作り出したのが最初の動機でした。『遠近を抱えて』は、ニューヨークで創作活動をしていた三〇代前半の作品です。自画像を描こうと思ったときに、日本人なら無意識に空気のように自分のなかに存在している天皇に気づきました。それを描いたのが『遠近を抱えて』です」。

「表現の不自由展・その後」では三〇年ほど前とは異なり、版画作品の『遠近を抱えて』は抗議の対象にはならなかった。

昭和天皇の肖像のコラージュを燃やしたシーンのある映像作品「遠近を抱えてＰａｒｔⅡ」は、それ以降、大浦氏にとって、重要なテーマとなった「内なる天皇」を描いた前作の映画「靖国・地霊・天皇」（二〇一四年、九〇分）と、二〇二〇年の公開を予定した「遠近を抱えた女」（九八分）の両作品の映像を使って編集した作品だ。富山県立近代美術館による図録の焚書をイメージしたのかと思ったが、大浦氏は否定した。

「従軍看護婦の女の子が現代によみがえって、天皇の絵を燃やすというストーリー。彼女の中に抱え込まれた内なる天皇を昇華させる、祈りの行為でもあるという意図で作ったんです。彼女の中に抱え込まれた天皇というのは、僕自身の問題。それを女の子に託して描いたわけです」

この映像作品のうち、昭和天皇の肖像を燃やす部分を来場者が撮影した映像がネット上に流出し、激しい非難を受けた。「ネットとかで批判しているのは、ほとんど見てない人たち。

ただ燃えているということだけを聞いて、批判が拡散している。作品を見て、少なくともこの作家は単なる天皇批判をしているんじゃないかもしれない、ぐらいは分かってほしいとは思いますよね。燃やすというのは見つめたり、確認するという神聖な行為であり、祈りです。燃やすことによって自分の中に抱えた天皇を昇華させることができるのです。その先に何があるかは分からない。答えを出す方がむしろ陳腐なものになります。大村知事が設けた検証委員会から聞き取りを受けましたが、委員からは『靖国をリスペクトしている作品なんですね』と言われましたよ」

作家の意図とは離れた批判にさらされていたことは間違いない。

避けて通れぬ歴史認識の議論

「表現の不自由展・その後」が中止へと大きく動いたのが、河村たかし名古屋市長の視察後だったことは、表現の自由や、自由な芸術表現を守るためには、歴史認識をめぐる議論が避けて通れないことを示している。

繰り返しになるが、津田氏は芸術監督として本来なら、実行委員会の会長代行である河村市長の視察に立ち会って不自由展の意義を説明し、理解を求める役割を果たすべきだった。

このことは、不自由展実行委員会の委員にも同じことが言えると思う。

このときの事情について二〇二二年五月、津田氏にメールで問い合わせた。返ってきたメッセージを以下に引用する。

「説明すると長くなるのですが、端的に言うと、河村市長が来る時間を事前に知らなかったし、いつ来たのかも後から知りました」「前日の八月一日に、河村市長が取材に対し『表現の不自由展・その後』を視察する考えを示したことはその日のうちに報告されていましたが、それがいつ来るのか・また来たのかは、八月二日のその時間には知らなかったということです」

津田氏は、菅義偉官房長官が八月二日、閣議後会見であいトリへの補助金交付問題に言及したことや、柴山昌彦・文部科学相が定例記者会見で補助金交付のプロセスについてコメントしたこと、与野党の保守系議員団体が「公金を投じるべきではない」と声明を出したことを挙げ、次のように続けた。

「それらがどれだけ影響したかは計り知れませんが、会場周辺には『芸術監督を殺害する』と連呼する街宣車が現れ、展示内容に抗議する人々や、パフォーマンスをする人々が次々と来館。館内電話交換所、防災センターもパンクしました。なので、ぼくは午前中から事務局より依頼され公式サイトのニュースに掲出するステートメントを、スタッフと推敲しながら、同時並行でさまざまなトラブルについて対処していた記録が（中略）残されています」

「こちらは全方位的にトラブルに対応してましたが、（河村市長からもし）呼び出されて説明しろと言われたら説明しましたよ。向こうはそれもせず、メディア向けのパフォーマンスとして来て文句を言う絵面だけ撮りたかったということでしょう」

表現の不自由展がどうなるのか、その行方に多くの国民が関心を寄せる中、テレビカメラが構える前で津田氏や不自由展実行委員会メンバーが説き伏せていたとすれば、その後の状況は大きく変わっていた可能性だってある。少なくとも、中止になった後まで河村市長らが真実でない歴史に言及し続けるという無責任な行為が野放しになるようなことはなかったかもしれない。河村市長を諭すせっかくの機会を逃したように思う。

筆者が、河村市長の視察を事前にニュースにした意図は残念ながら伝わらなかった。

一方、マスメディアの初期報道も課題を残した。朝日、毎日、読売、産経、東京の五紙の社説では「表現の不自由展」の中止問題が六日から九日にかけて取り上げられた。暴力や脅迫行為を許すなという姿勢を打ち出してはいるが、不自由展への攻撃の背景にある政治家やネトウヨの誤った歴史認識には触れていない。そのうえ再開を求めることもしていなかったのは残念だった。歴史認識の誤りを正さない限り、表現の自由の重要性を訴えたところで暴力行為は今後も繰り返されるだろう。

『週刊新潮』二〇一九年八月一五・二二日号（八月七日発売）に触れたい。「『表現の不自由展』にあの黒幕」との見出しで四ページもの特集を組んだ。「あの黒幕」とは、実行委員の永田浩三氏のことを指す。「金髪のジャーナリスト・津田大介氏と『黒幕』たちがしでかした『芸術ごっこ』」と面白おかしく書き立てていた。この特集記事の見出しには、「『慰安婦像』と『昭和天皇像の御影焼却』に公金一〇億円が費やされた」とあるが、これは明らかに誤報か、記者による〝捏造〟に近い表現だ。大村秀章知事はすでに八月五日の記者会見で費用は四二〇万円だったと明言し、しかも公金ではなく「民間からの寄附で賄う」と表明していた。筆者の今回の質問にも大村知事は「特定の方がネットで『この展示に税金一〇億円を使った、税金だ、とんでもない』と、全く誤った情報を洪水のように流して、印象操作どころではなく、事実でないことを決めつけて、どんどんレッテル貼りがされていく状況でした。そこで事実とファクトをきちんと示させていただくという意味で、（会見で）メッセージとして発言しました」と語っている（ただ、実際に民間寄附で会計処理したかどうかには言及しなかった）。すでに触れたが予算は総事業費のわずか〇・三%にすぎない四二〇万円。ついでに言えば、会場の面積も〇・八三%を占めるだけだ。真っ当な報道機関であれば、お詫びものである。

「あいトリ」に出展する日本人作家からもすべての展示再開を求める声が上がった。「サナトリウム」は賛否の双方から人が集まり、議論の場となった＝ 2019 年 8 月 25 日、名古屋市西区で

作家らが巻き返し

「表現の不自由展・その後」の中止が決まると、不自由展に出品した作家だけでなく、あいトリの他の会場で作品を展示している作家からも抗議が広がった。

口火を切ったのは、パク・チャンキョン氏（出品した作品名は「チャイルド・ソルジャー」）とイム・ミヌク氏（同「ニュースの終焉」）の韓国人作家二人。

八月六日には、カーテンやドアで自分の作品のある展示室を閉鎖し、「美術館は、見たいものだけを見て、聞きたいことだけを聞いて、言いたいことだけを言うために存在するものではありません」などと記した抗議声明を入り口に張り出した。

こうした動きは海外作家を中心に広がり、九月二七日までに計一四組（海外作家一二組、国内作家二組）が抗議の意を込めて展示室を閉鎖したり、展示内容を変更したりしている（参照・第2章「連帯」の「立ち上がった海外作家たち」）。

海外作家に続いて、日本人作家たちも発信を始めた。

不自由展中止騒動の中で、多くの関係者がダメージを受けていた。混乱の中で開かれたあいトリの参加作家のミーティングで、「私たちにはサナトリウム（療養所）が必要だ」とある海外作家がつぶやいた。

これに呼応する形で、若い世代の作家らが「あいちトリエンナーレ２０１９」の会場の一つであるＪＲ名古屋駅から十数分の円頓寺本町商店街に近い空き店舗を借りて開設したのが、作品を展示したり、有識者を招いて観客や市民と議論するための空間である「サナトリウム」だ。あいトリの参加作家の毒山凡太朗、加藤翼の両氏らが中心となった。後述するが、この取り組みは、参加作家らが、すべての展示再開を目指したプロジェクト「ＲｅＦｒｅｅｄｏｍ—Ａｉｃｈｉ」につながっていく。

八月二五日にあった「サナトリウム」のオープニングイベントには、狭い店内に五〇人近い人たちが詰めかけた。翌二〇年二月から日本国内でも広がり始めた新型コロナウイルス感染拡大を経験した現在では考えられないことだ。

会場には、表現の不自由展の再開に強硬に反対する高齢の男性らも現れた。男性の一人は「不自由展は、表現の自由を悪用したプロパガンダ（宣伝）でしかない」と声を荒らげた。これに対し、不自由展にも出品している小泉明郎氏が「表現っていうものは、一つのメッセージではない。プロパガンダをやってないっていう認識で我々は作品を作っているんです」と熱っぽく反論する場面もあった。男性たちは次のように主張した。

男性「不自由展がなぜ日本中から批判を浴びてるかというと、天皇陛下の肖像を燃やして、その灰を足で踏んづけるとか、普通のまともな日本人であれば目を覆うような映像を延々と流した。それから、『慰安婦』。『慰安婦』は完全にでっちあげだということは既に証明されている。天下の朝日新聞でさえ記事を取り消した。それを懲りずに展示させた。表現の自由とか偉そうに言ってるけど、表現の自由という尊い憲法を悪用したプロパガンダ（宣伝）に過ぎない」

男性「中立ではない、偏ったプロパガンダが展示されている。芸術によって傷つけられた人もいる」

男性「ここは民間で、自前でやっているからいい。不自由展は、お上の金、税金を使って人のフンドシで表現をしようとした。自由を獲得したかったら、自らのお金で自ら場所を借りてやるべきだ。どこでも表現できるんですから、日本は自由な国ですから」

小泉明郎氏「前提として皆さんに分かってほしい。例えば、戦争批判した『反戦映画』があるとします。すっごく戦闘シーンが格好よくて、見た後に若者が戦争に行きたいっていう気持ちにさせる映画っていうのはいくらでもあるんですね。反戦映画って口では言いながらも、反戦映画ってとても難しい。表現っていうものは一つのメッセージではないんですよ。一つのメッセージで回収されてしまうのはプロパガンダなんです。プロパガンダを我々はやってないという認識で作品を作っているんです。プロパガンダに見えてしまったのはトリエンナーレ（実行委員会の）側の失敗なんです」

その後も、ベトナム在住のキュレーター、遠藤水城氏が同国の検閲事情について話したり、哲学者の國分功一郎氏と憲法学者の木村草太氏が不自由展中止について対談するといった、訪れる人たちにとって刺激的な空間となった。

九月三〇日には、東京藝術大学の毛利嘉孝教授（メディア・文化研究）を迎え、直前に発表された文化庁のあいトリへの補助金不交付の決定について議論した。当時の文化庁長官は宮田亮平・東京藝術大学前学長。「まさかこんなことを本当にやるとは思わなかった」。毛利氏はあきれてみせた。

毛利氏によると、日本の表現規制は「検閲」というあからさまな形で行なわれることはほとんどなく、作家も学芸員も企画者も、「これはちょっと通らないよね」などと、自粛や忖度、自主規制する形で行なわれてきたという。「問題は、タブーのリストがどんどん増えていること。それは明文化されていないので、何となく皆が気になるようになっている」「慰安婦」問題や南京大虐殺などの戦争の記憶、原発や原爆。平和や民主主義という言葉ですら議論になるほど息苦しいという。それを目に見える形で展示したのが今回の表現の不自由展だった。

また、あいトリ最終日の一〇月一四日には、河村たかし市長が「サナトリウム」を訪れ、作家らと激論を交わす機会もあった。

対話を呼びかけた加藤翼氏は「ずっと議論はかみ合いませんでしたね。でも、かみ合わないということを可視化することが必要だった」と振り返った。

筆者はその場面に立ち会うことはできなかったが、議論がひとしきり終わった後、河村市長は報道陣に「ちゃんと、天皇陛下の肖像を燃やして、バーナーで、踏んづけるいうことを何で言わなかったの、そういう作品が出ますって」「ホントのこと言ってくれりゃあ、それでいいんですわ」と持論をまくし立てた。

我慢しきれず問いかけた。

筆者「河村さん、天皇の肖像を焼くっておっしゃってますけど、当然ご存知だと思うんですけど、出展されてから二カ月以上たってるんで。あれは天皇の肖像を焼いているわけではないですよね」

河村市長「そうじゃないでしょう」

筆者「大浦さんが、昭和天皇の像をコラージュした作品ですよね」

河村市長「誰が見ても、ものごとというのは見とる人がどういうふうに」

筆者「だから、（作品の一部を）切り取るのが危険だって言ってるわけじゃないですか」

河村市長「誰が見たって」

筆者「誰が見たってって言うのは」

河村市長「俺、こないだ見に行ったけど、二回あるじゃないですか。冒頭から燃やして」

筆者「大浦さんの説明とかちゃんと読まれたりしたんですか」

河村市長「説明は」

筆者「ニューヨークにいたころに、自画像として描かれたって説明してるじゃないですか」

河村市長「いやいや」

筆者「それを天皇の肖像を焼いたって、一般に流布するっていうのはどうかと思いますけどね、権力者として」

河村市長「誰が見たって」
筆者「誰が見たって、っていう言い方はおかしいと思いますけどね」
河村市長「俺が見た。俺は二〇分の（作品「遠近を抱えてＰａｒｔⅡ）を見ましたから」
筆者「河村さんが見たらそうだったかもしれないけど、誰が見たってじゃないでしょう」
河村市長「無理だで、そんなこと言ったって」
対話はまったくかみ合わなかった。

ReFreedom＿Aichi

あいちトリエンナーレ２０１９の参加作家らが中心となって再開を目指した動きはもう一つある。

九月一〇日に東京・丸の内の日本外国特派員協会で開いた記者会見で発表した全ての展示の再開を目指すプロジェクト「ＲｅＦｒｅｅｄｏｍ＿Ａｉｃｈｉ」だ。国内外の三八組が賛同したという。

具体的には、作家自らが苦情などを電話で受け付ける窓口としての「アーティスト・コールセンター」の立ち上げや、観客に自身が抑圧された経験を紙に書いてもらい、高い壁で閉じられている表現の不自由展の展示室前の扉に貼っていく「#ＹＯｕｒＦｒｅｅｄｏｍ」プロジェクトなどだ。資金はクラウド・ファンディングで募っており、あいトリが閉幕した一九年一〇月一四日までに一一〇〇万円を超えた。

小泉明郎氏は記者会見で、展示を中止しているキューバ人作家タニア・ブルゲラ氏が数々の検閲を経験してきたことを紹介し、「彼女にとって一度、検閲されたもの、取り外されたものがまた置かれる、その扉が開かれるという経験は一度もしたことがない。でも今回はそういうことが起きる可能性がある、奇跡が起きるんじゃないかという言葉を残して彼女は日本を去りました。でも、それを起こすには私たちアーティストだけの力では足りません」と市民に協力を呼び掛けた。

美術集団「Ｃｈｉｍ↑Ｐｏｍ」メンバーの卯城竜太氏は「自分で自分の人生を決める。他人の考えに強要されない生き方をするためには、まずは自分がものを見て、考えて、知って、自分で表現して表明する。そこからしか自由や権利は生まれません」と訴えた。

筆者は作家たちに聞きたいことがあった。「『日本人の心を踏みにじる』という発言をした河村たかし名古屋市長はその後も定例会見などで同じ主張を繰り返している。この方はあいトリの会長代行で、再開のためにはここをクリアしないといけないが、アイデアはあるのか」。これに対して卯城氏は、次のように答えた。

上：すべての展示の再開を目指すプロジェクト「ReFreedom＿Aichi」の旗揚げ記者会見に臨む（左から）高山明、ホンマエリ、小泉明郎、大橋藍、卯城竜太の各氏＝2019年9月10日、東京・丸の内の日本外国特派員協会で

下：不自由展の再開を提言する中間報告書を出し、記者会見する「あいちトリエンナーレのあり方検証委員会」の委員。左から二人目が山梨俊夫座長＝2019年9月25日、愛知県庁で

「『日本人』っていったってひとくくりにはできない。たくさんの日本人の声がある。税金を納めているのは日本人だけじゃないし、オーディエンス（観客）も日本人だけじゃない。これは国際美術展です。見る権利が完全に奪われている今の状況で、オーディエンスが自分たちで（閉鎖された不自由展の扉を）開けるっていう意思を示せるかどうか、そういう声がどれだけ大きくなるか。それがやっぱり政治家に対して大きなインパクトを作れるし、僕らアーティストはオーディエンスとのコラボレーション（協力）でそれ（再開）を実現したいと思っているから、資金自体もクラウド・ファンディングとかで全部集めたいと思っている。公的な資金とかではなく、僕らの自立性を保って、そういう運動を彼らにぶつけていきたいと思っています」

再開に光、そして補助金不交付決定

あいちトリエンナーレの閉幕（一〇月一四日）が迫り、「あいちトリエンナーレのあり方検証委員会」は九月二五日、中間報告をまとめた。

不自由展中止により、自主規制を誘発するリスクや、今後のトリエンナーレだけでなく、国内の芸術祭、国公立美術館への海外作家の出品拒否を誘発しかねないリスクがあることなどから「条件が整い次第、（不自由展を）すみやかに再開すべきである」と提言。条件として、「脅迫や電凸等のリスク回避策を十分に講じる」「写真撮影とＳＮＳによる拡散を防ぐルールを徹底する」――ことなどを挙げた。

中間報告は、「過去に禁止となった作品を手掛かりに『表現の自由』や世の中の息苦しさについて考えるという着眼はトリエンナーレの趣旨に沿ったもので、妥当だった」と不自由展を評価した。その一方で、「出来上がった展示は鑑賞者に対して主催者の趣旨を効果的、適切に伝えるものだったとは言い難い」と展示方法に疑問を呈した。

「表現の不自由展・その後」の再開方針を表明する大村秀章・愛知県知事＝ 2019 年 9 月 25 日、県庁で

大村秀章・愛知県知事の中止決定の判断については「脅迫や電凸等の差し迫った危険のもとの判断で、やむを得ないものであり、表現の自由の不当な制限には当たらない」と理解を示したが、芸術監督の津田大介氏に対しては「混乱が生じることを予見しながら（少女像などの作品の）展示を強行した」と批判した。報道をめぐる影響については「河村市長や

作品を見ていない県外政治家の抗議が報道され、抗議が拡大」したことも指摘した。これを受け大村知事は九月二五日夕に記者会見し「再開を目指したいと思っている」と表明した。

大村知事は津田氏について「トリエンナーレ全体についてはは大変よくやっていただいているが、『表現の不自由展・その後』については、検証委員会の報告通り、不足するところがあったのではないか。今日のトラブルを招いたことも含めて真剣に受け止めなければいけない、と私から厳重注意をさせていただいた」と明らかにした。

記者からは再開を目指すにあたって、あいトリ実行委員会会長代行の河村たかし名古屋市長の意向を確認する必要があるのではないかとの質問があった。大村知事は「特にそう思っていません。あれだけの電凸、脅迫のファクス、メール、犯罪予告、テロ予告があったので止むを得ざる緊急避難的措置として中止した。それを本来の姿に戻したいということなので、そういう形でやっていきたい」と否定した。

電凸攻撃が再び激しくなる懸念について大村知事は「テロ予告、犯罪予告のようなファクス、脅迫メールが（不自由展）中止後も延々と来た。電凸攻撃もだいぶ少なくなったとはいえまだある。こういう形で攻撃すれば（展覧会が）止まるということになると、この後予定されているいろんなこと（国際芸術祭など）で、日本ってそういうことなのかということになってしまうので、断固、毅然として対応しなければならないと思っています」とし、電凸攻撃する人たちには「電凸というのは一つの暴力だと思うので、そういうことはお止めいただきたい。脅迫は犯罪行為ですからもっての外です。そういうことはぜひお止めいただきたいということは申し上げたい」と訴えたのだった。

再開に光が見えた瞬間だった。

一方、表現の不自由展実行委員会は、検証委員会が示した再開の条件に「展示方法や解説プログラムの改善・追加」とあることに反発した。これに先立ち不自由展の実行委員会は「条件付き再開は検閲である」として中止前の状態のままで再開することを求めていたが、受け入れられる見通しが立たなかったため九月一三日、あいトリ実行委員会会長である大村知事を相手に再開を求める仮処分を名古屋地裁に申し立てていた。

大村知事が再開の意向を示した九月二五日の翌二六日、冷や水を浴びせたのが文化庁だった。八月二日に菅義偉官房長官が「補助金交付に当たっては、適切に対応していきたい」と不交付を示唆したとおり、文化庁は採択していたトリエンナーレの補助金七八二九万円を全額不交付とする異例の決定を発表した（「第3章　補助金不交付」参照）。

萩生田光一・文部科学相は「県では四月の段階で、会場が混乱するんじゃないかと警察当局とも相談していたらしいが、文化庁にはそういう内容は来なかった」と説明したのだった。「検閲に当たるのでは」という記者からの質問に対して、萩生田氏は「（展示の）中身について文化庁はまったく関与してません。検閲には当たらないと思います」と答えたものの、不交付決定は表現の自由をめぐり波紋を広げた。

「合理的な理由がない」と憤りを隠さない大村知事は国を提訴することを表明し、一方の河村市長は「至極まっとうな判断」と評価し、あいトリの市の負担金取り下げを検討する考えを示した（「第4章　愛知県知事VS名古屋市長」参照）。

大村知事が表現の不自由展を再開すると表明した九月二五日以降、あいちトリエンナーレ実行委員会事務局への抗議電話は、多い日で二〇〇件に及んでいた。こうしたなかで、表現の不自由展実行委員会と、あいちトリエンナーレの実行委員会は九月三〇日、不自由展の再開で合意した。一〇月六日から八日の間での再開で協議を進めた結果、八日と決まり、六六日ぶりに「表現の不自由展・その後」の会場入り口をふさいでいた大きな壁は取り払われることになった。

「奇跡」は起こった。

長期間にわたって不自由展が中止されてのようやくの再開。「少女像」を制作した金曙炅氏は先の記者会見で複雑な心境を明かした。「たくさんの方に見ていただけなかったという惜しい気持ちも当然あります。大変気持ちが重いです。今回、重かったドアが開いたのは、市民の力だと信じています。感謝の気持ちを表明したいです」

再開はしたけれど……

「表現の不自由展・その後」は、閉幕一週間前の一〇月八日午後、ようやく再開された。不自由展中止に抗議して展示中止や展示変更していた一四組の作品も全面復帰した。

しかし、喜びも束の間だった。

再開当日、来場者でごった返す名古屋市の愛知芸術文化センター八階に緊張が走った。あいトリ実行委員会の会長代行を務める河村たかし名古屋市長が会場で座り込みをするとの情報が流れ、報道陣が入り口に詰めかけたのだ。開幕翌日（八月二日）、河村市長が不自由展を視察し、中止を求めた騒動の「再現」になるのではないか。関係者の脳裏に悪夢がよみがえった。

結局、河村市長は職員に押しとどめられ、愛知芸術文化センターの建物の外でプラカードを掲げ、座り込んで再開に抗議した。右派系の市民からは「河村市長、頑張れ。大村知事を倒してください」と声をかけられていた。緊張した面持ちで見届けた不自由展参加作家の小泉明郎氏は「座り込みされるのだけは避けたかった」とホッと胸をなで下ろした。

一方、再開となった「表現の不自由展」では、それまで展示された作品への批判は「平和いたが、再開後は他の作品にも飛び火した。

美術集団「Ｃｈｉｍ↑Ｐｏｍ」の映像作品「気合１００連発」はその一つだ。東日本大震災直後、福島で出会った若者たちと円陣を組んで一〇〇回の「気合い」を叫ぶ様子を記録した作品だが、「放射能サイコー」「被曝サイコー」と叫んだ場面が切り取られてネットで拡散したのだ。

「Ｃｈｉｍ↑Ｐｏｍ」メンバーの卯城竜太氏は「僕らが予期していなかった叫びでビックリした。（気合を叫んだ）彼らは滅茶苦茶な状況の中で破れかぶれな状態で生きていくしかない。悲観しているだけじゃいられない」と作品の背景を説明。「そのときに彼らが発したユーモアや言葉を、不謹慎だからと言って『見せるな』とは僕には言えない。そういう人間の力まで（批判の）ターゲットになってしまうことは嫌だなと思っているし、全部見ていただきたい」と抗議の意思を示した。

再開された不自由展は、抽選方式にして入場者数を大幅に制限。手荷物を預けて金属探知機でボディーチェックを受けたうえ、会場で撮った写真をＳＮＳに投稿しないとの同意書提出を求められるなど、厳戒態勢の中で行なわれた。この日（八日）、計二回六〇人の入場枠の抽選に延べ一三五八人が並んだ。

再開初日（10月8日）は2回の鑑賞枠（計60人）に1358人が応募した＝2019年10月8日、愛知芸術文化センターで

「表現の不自由展」の入場希望者は定員を大きく上回り抽選となったが、初日（八日）の六〇人を除くとキャンセルもあり、その後は空きも出ていたのだ。具体的には、▽九日＝定員二一〇人／実際の入場者数一九九人▽一〇日＝二一〇人／二〇〇人▽一一日＝二四五人／二三五人▽一三日＝二四〇人／二二一人▽一四日＝二四〇人／二二一人と定員割れとなっていた（一二日は関東・東海地方に大きな被害を与えた台風19号のため休館だった）。

　あいトリ参加作家が結成したプロジェクト「ReFreedom－Aichi」は、再開後も存在感を示していた。一つは演出家の高山明氏を中心家が直接対応した。

に立ち上げた「Ｊアートコールセンター」。不自由展などへの抗議や意見の電話に多くの作家が直接対応した。

不自由展中止を教訓に、今後開かれる芸術祭の表現の自由を守るための指針となることを目指す「あいち宣言・プロトコル」。当初はあいちトリエンナーレ実行委員会会長を務める大村秀章・愛知県知事が提案したものだが、その原案の起草の中心になったのは「ＲｅＦｒｅｅｄｏｍ」のメンバーだ。市民と意見交換を積み上げ、練り上げた草案を知事に手渡した。

不自由展の中止と再開を決断した大村知事は「あいちトリエンナーレ２０１９」の閉幕後に記者の取材に応じ、「さまざまな課題、難題が次から次へと降りかかって来る七五日間だった。いったん中止に追い込まれた芸術祭が全面再開になった例は世界的にもほぼないと聞いている。関係するすべての皆さんの思いが全面再開に向けて一つになった成果ではないか」と胸を張ってみせた（あいち宣言の最終案は一二月にあいトリ実行委員会に提出されたままになっている）。

一方、不自由展が中止に追い込まれたことについては「表現の自由、芸術の自由ということが十分できなくなっている、という今の日本の息苦しい状況を如実に表している」と述べた。

芸術監督の津田大介氏は「会期が終わるまでに展示を再開すること、そのために尽力することが、自分の責任の取り方だと思ってきた。再開できて、すべての作家に戻っていただいたことは良かったと思うし、ある程度はリカバーできたと思っている」と振り返った。

表現の不自由展実行委員の岡本有佳氏は再開後の一週間について複雑な心境を語った。

「再開はもちろん私も喜んでいるんですけど、心残りは、作家にすごく負担をかけてしまったこと。あまりにも入場にきつい手続きをとってしまったので、作家としての表現の自由の侵害にもなる。観客への負担が重いことに、作家たちは何より心を痛めていた」

再開となった不自由展だが、厳重警備の中で、抽選方式による限られた人数しか鑑賞できないという大きな制約が課されただけでなく、報道機関による取材や報道も規制を受けることになった。大村知事の判断だった。報道の不自由のなかでの「表現の不自由展・その後」という笑えない再開だった（第1章「『表現の不自由展・その後』が中止」の「それは報道の不自由展だった」参照）。

「表現の不自由展・その後」が中止となったことを批判する中垣克久氏＝2019年8月7日、東京・永田町で

誤った歴史認識を正さぬまま

愛知県が設置した有識者会議「あいち

トリエンナーレのあり方検討委員会」（検証委員会から改称。座長＝山梨俊夫・国立国際美術館長）は二〇一九年一二月一八日、「表現の不自由展・その後」に関する調査報告書（最終報告書）をまとめた。

この中で不自由展の企画自体については中間報告（九月二五日）と同じように、「過去に禁止となった作品を手掛かりに『表現の自由』や世の中の息苦しさについて考えるという着眼は今回のあいちトリエンナーレの趣旨に沿ったものであり、妥当だったと言える」と評価した。しかし、その一方で、「出来上がった展示は鑑賞者に対して主催者の趣旨を効果的、適切に伝えるものだったとは言い難く、キュレーション（展示方法）と、来訪者に対するコミュニケーション上の多くの問題点があった」と改めて指摘した。

批判が集中したと最終報告書が認定したのは、金夫妻の「平和の少女像」と大浦信行氏の「遠近を抱えてPart2」に加え、中垣克久氏の「時代(とき)の肖像―絶滅危惧種　idiot JAPONICA　円墳―」の三作品。「時代の肖像」は、第二次安倍晋三政権だった二〇一四年に東京都美術館から「政治的である」ことを理由に一部の言葉の削除を求められた作品だ。高さが一メートル半ほどのかまくら型の頂上部には、出征兵士に送った寄せ書きをイメージした日の丸が置かれ、それをしめ縄が囲む。外側の壁には「憲法九条を守り、靖国神社参拝の愚を認め、現政権の右傾化を阻止して、もっと知的な思慮深い政治を求めよう」といった言葉を手書きした紙や、安倍政権の政策に批判的な新聞記事が張られている。この作品は特攻隊を侮辱する作品だと批判された。最終報告書によると、中垣氏は検討委員会のインタビューに対して「作品は、特攻隊でもなんでもない。親族が、海軍兵学校の途中で終戦を迎え、友だち同士で寄せ書きしたようなもの。自分は、特攻隊を揶揄したりは一切しない。と同時に、美化もしない」と語ったという。

最終報告書は「特に批判を浴びた三つの作品はいずれも作者の制作意図等に照らすと展示すること自体に問題はない作品だった」と肯定的な評価を示したものの、「作品の制作の背景や内容の説明不足（政治性を認めたうえでの偏りのない説明）や展示の場所、展示方法が不適切であり、またＳＮＳ写真投稿禁止の注意書きを無視する来場者が続出したため来場していない人たちから強い拒絶反応と抗議を受けた」と断じた。

芸術監督を務めた津田大介氏についても厳しい評価を下した。キュレーターチームとのコミュニケーション不足を指摘し、「その結果、芸術監督は混乱をもたらすと予見できる大浦氏の新作映像の出展を不自由展実行委員会及び作家だけと進め、キュレーターチームや事務局、会長には事前に一切通報も相談もしなかった（投影準備の作業担当者を除く）」と非難した。

これに対し、津田氏は直後に開いた記者会見で、「中止に至る今回の騒動で最も責任が大きいのは誰かと言えば、展覧会を脅迫した人々、事務局機能をマヒさせるほど電凸を煽った人々。本来、検証されるべきだったのは、脅迫やデマ攻撃、電凸があったときに、どのような対策が可能だったのかという点です」と検証不足を訴えた。

また、あいトリ開幕日（八月一日）前後の世の中の動きに言及し、「企画が決まった六月以降の日韓関係の急速な悪化を予想し、公職にある政治家の皆さんが一自治体の文化事業の内容にあれほどまでに干渉してくると予想し、京都アニメーション放火殺人事件が起きると誰が予想できるでしょうか。僕は超人ではないのでそんなこと予想できません」と断ったうえで、「検討委員会（の最終報告書）はこれらのことを僕が予想しえたとして、僕だけに責任を負わせることに終始しているかのように見えます。一体、検討委員会はこの最終報告で何を検証、検討していたんでしょうか」と疑問を投げかけた。

最終報告書が不自由展のキュレーションに不備があったことが電凸を招いたかのように指摘していることについても、「平和の少女像が展示されることが七月三一日付の朝日新聞と中日新聞の朝刊で報じられるや否や、電凸攻撃が始まりました。内覧会の日ですから、この時点で一般市民は一人も不自由展どころかあいトリ自体を見ていない。不自由展そのもの、キュレーションとは無関係に、見ていない人が抗議している。だから、キュレーションの問題ではない。抗議電話をかけてきた人のほとんどが不自由展の会場を訪れていない以上、会場内でどんなキュレーションをしようが、見ていないで抗議する人にキュレーションの良し悪しが届かないことは明白だ」と反論した。

「平和の少女像」への抗議を発端とした「表現の不自由展・その後」の中止と再開だが、筆者はそもそも「慰安婦」問題をめぐる誤った歴史認識がその一因であることを繰り返し述べてきた。それをどう正していくかが、歴史修正主義者らによって蝕まれつつある今の日本の表現の自由や、自由な芸術表現を守るための最短距離である。

「あいちトリエンナーレのあり方検討委員会」は、不自由展参加作家や有識者など数多くの関係者からのインタビューを行ない、不自由展再開への道筋を示した。しかし、SNSなどネットを使って会場の外から不自由展を攻撃した人たち、河村たかし名古屋市長をはじめ開催に異を唱えた政治家たちの誤った歴史認識の問題には踏み込まないままだった。これは、不自由展中止に働いた歴史修正主義の根本的な問題点について議論することを避けた日本社会全体の問題でもある。本来なら、民主主義社会において議題を設定する役割を担うマスメディアもまたその任を果たせなかった。

2　中止と再開　弁護団長に聞く

再開求め仮処分申請

国際芸術祭「あいちトリエンナーレ2019」（あいトリ）の企画展「表現の不自由展・その後」が三日間で中止になり、六六日ぶりとなる一〇月八日の再開を大きく後押しした背景には、企画した「表現の不自由展」実行委員会メンバーが再開への法的な判断を求めて名古屋地裁に行なった仮処分申請（九月一三日）があった。

「脅迫や電凸（注・電話による攻撃）等の差し迫った危険のもとの判断でありやむを得ないものであって、表現の自由（憲法二一条）の不当な制限には当たらない」

大村秀章・愛知県知事（あいトリ実行委員会会長）が設置した有識者会議「あいちトリエンナーレのあり方検討委員会」は一二月一八日にまとめた最終報告書で大村知事の「中止判断」

「表現の不自由展・その後」の再開に反対する人たち＝2019年10月8日、愛知芸術文化センターで

をそう評価した。

報告書は、不自由展のキュレーション（展示方法）の不備や、芸術監督を務めたジャーナリストの津田大介氏とキュレーター（学芸員）チームなどとのコミュニケーション不足を批判する一方、大村知事については「芸術監督の上に位置し、全体を掌握する立場にあるが、政治家であるため憲法二一条の『表現の自由及び検閲禁止』の規定を強く意識し、展示内容についてはは芸術監督にすべてを委ねざるを得ない立場にあった」と不問に付した。一〇月八日の表現の不自由展再開への流れは、検討委員会の前身となる検証委員会が九月二五日の中間報告で「（不自由展を）すみやかに再開すべきである」と提言し、大村知事が「再開を目指したい」と応じたことで決定づけられたが、それだけで実現したわけではない。

「表現の不自由展」実行委員会のメンバーが行なった仮処分の弁護団長として、あいトリ実行委員会との和解を成立させた中谷雄二弁護士（名古屋共同法律事務所）に、どんなことが争われていたのか、最終報告の何が問題なのかを聞いた。

カギはニコンサロン事件判決

「表現の不自由展」実行委員会のメンバーで編集者の岡本有佳氏らのもとに中谷弁護士が

駆け付けたのは、大村知事が同展中止を発表しようとしていた八月三日だった。岡本氏の案内で展示会場に入ったとき、同展を象徴するかのような印象的な場面に遭遇した。「慰安婦像」と呼ばれ当時、激しい攻撃の的になっていた金運成（キム・ウンソン）、金曙炅（キム・ソギョン）夫妻の「平和の少女像」の前で、男が「何だ、こんなもの」「嘘ばっかりじゃないか」と大声を上げた。これを見た若い来場者二人が別々に「ここはそんな場所じゃないですよ」「ちょっと静かに見ましょうよ」となだめたのだ。その後、男は静かに鑑賞するようになった、という。

「反対派の人がいても、観客同士で、声高に糾弾するんじゃなく静かに話し合っていて、すごいなと思った」。中谷弁護士は感動を覚えたという。

大村知事は三日夕、京都アニメーション放火殺人事件を思わせる脅迫ファクスが前日（二日）朝に届いていたことを明らかにした上で、「これ以上エスカレートすると、安心して楽しくご覧いただくことが難しくなる」と安全上の理由を口にして、不自由展の中止を発表したのだった。

中谷弁護士は、不自由展の原点ともなったニコンサロンでの元「慰安婦」の写真展が中止になった事件を担当した李春熙（リ・チュニ）弁護士らに声をかけて弁護団を編成し、不自由展実行委員会メンバーと一一日に、今後の進め方について話し合ったという。

初めから法的手段を取ろうと考えていたわけではない。あくまでも話し合いを優先し、ぎりぎりまで大村知事との交渉を求めていくことになった。それでもだめなら、仮処分申請しかない。法的措置を訴える「最終期限」を一〇月一四日の閉幕の一カ月前に設定した。

検討委は知事の中止判断を追認

一方、大村知事が設置した有識者会議「あいちトリエンナーレのあり方検証委員会」の初会合が八月一六日に開かれ、委員から「もはや、この展示（不自由展）を行なうことができる美術館は、国内にはないのではないか」（文化政策研究者の太下義之・国立美術館理事）と不自由展を「厄介者」扱いするかのような意見が出され、暗雲が垂れこめた。

委員の資質が疑われるような書き込みがＳＮＳ上になされることもあった。

副座長の上山信一・慶応大学総合政策学部教授は自身のツイッターに「不自由展は、少女像を置いただけで、政治プロパガンダと見られ、さらに他作品とあわせサヨク的企画と見られるリスクは明らかだった」と書き込んだ。

検証委員会の議論は進み、閉幕日はどんどん迫ってくるが、大村知事との面談は実現しないままだった。危機感を募らせた不自由展実行委員会は九月一三日、同展再開をあいトリ実行委員会に求める仮処分を名古屋地裁に申し立てた。

「不自由展会場入り口に設置された高さ約三メートルの壁を撤去し、同展を再開させなければならないとの決定を求める」というのが申し立ての趣旨。その理由は「展示を中止したままにすることは、表現の自由が侵害された状況を放置することであり、憲法二一条に違反することは明らか」というのが柱だ。

その日のうちに、名古屋地裁（片田信宏裁判長）から「審尋期日を二回設けたい」と連絡が入った。即座に期日を設定する異例の対応に、中谷弁護士は驚いたという。第一回審尋の前には、ニコンサロン写真展中止事件の裁判資料を提出するよう地裁から不自由展実行委員会側に指示があった。

ここでニコン事件について改めて説明しておく。二〇一二年、韓国人写真家で今回の不自由展にも出品している安世鴻さんの旧日本軍の「慰安婦」をテーマにした写真展が東京・西新宿の新宿ニコンサロンで直前に中止された事件だ。背景には今回と同様、写真展の開催を知らせる五月一九日付の朝日新聞記事（名古屋本社版）がインターネットに転載され、右翼有名人やネット右翼が反応し、嫌がらせの電話やメールがニコン側に寄せられたことがあった。

安さんは東京地裁にニコンサロンの使用を求める仮処分を申し立てた。主張は認められ写真展は予定通り開催されたが、ニコン側は保全異議と保全抗告を申し立てて争い続けた。裁判所はいずれの主張も受け入れず最後まで仮処分命令を維持した。

この事件がきっかけとなり、公立美術館などで展示を拒否されたり、撤去されたりした作品を集めて東京のギャラリーで開かれたのが、一五年の「表現の不自由展〜消されたものたち」。それを見た津田氏がのちにあいトリの芸術監督に就任し、主催者に参加を持ちかけたのが今回の「表現の不自由展・その後」の始まりだった。

名古屋地裁は、そのときの裁判資料を求めてきたのだ。「早急に実効性のある形での仮処分決定を出すつもりだと感じた」と中谷弁護士。なぜなら、安さんの写真展を実現させた裁判の論理は「不自由展実行委員会側の主張を採用するとき以外は必要ないものだから」（中谷弁護士）だ。

「中止は必要なかった」と批判する中谷雄二弁護士

九月二〇日の第一回審尋で、あいトリ実行委員会側は、請求の却下を求めた。その理由は次のようなものだ。
①来場者などの安全確保のため、中止せざるを得なかった、②まだ危険が続いているので、中止を続けざるを得ない、③中止、

行委員会側に再開を求める権利はない。

中止継続はやむを得ないもので正当な理由があり、違法ではない、④そもそも、不自由展実行委員会側に再開を求める権利はない。

④については、説明が必要だろう。

不自由展実行委員会側は、あいトリ実行委員会側と二つの契約、つまり、出品作家としての「作品出品契約」と、作品の選定・制作・展示業務を委託する「業務委託契約」を結んでいると主張した。

これに対して、あいトリ実行委員会側は、「業務委託契約」しか結んでいないので、不自由展実行委員会には展示や再開を求める権利はない、と反論したのだった。

第二回審尋は九月二七日。直前の二五日に出されたあいトリ検証委員会の中間報告を受け、大村知事は再開を目指すと表明。翌二六日には、文化庁がこれに対する見せしめのように、採択されていたあいトリへの補助金七八二九万円を全額不交付とする異例の決定を発表し、大村知事は国を提訴することも辞さない覚悟を示していた。

不自由展、あいトリの両実行委員会ともに再開を目指しており、争う余地はないように思われた。不自由展側が一〇月一日に再開する和解案を示したが、あいトリ側は応じようとしなかった。名古屋地裁は改めて九月三〇日に第三回審尋を設け、あいトリ側に対し、「それまでに回答がなければ、決定の方向に行きます」と仮処分決定を示唆したという。

あいトリ実行委は不自由委外しを提案

あいトリ実行委員会から、再開準備の協議を申し入れるメールが不自由展実行委員会のメンバーに届いたのは、第三回審尋当日の九月三〇日朝だった。そこには、再開の時期は「一〇月六日から八日を想定」していることに加え、①犯罪や混乱を誘発しないように双方協力する、②安全維持のため事前予約の整理券方式とする、③開会時のキュレーション（展示内容）と一貫性を保持し、必要に応じて（来場者に）エデュケーションプログラムなど別途実施する、④県庁は来場者に対し（県の検証委員会の）中間報告の内容などをあらかじめ伝える――の四条件が示されていた。

大村知事は九月三〇日午前九時ごろから緊急の記者会見を開き、不自由展実行委員会と再開協議に入ることを表明した。その後に開かれた審尋では、不自由展実行委側は展示室を変更されたり、展示方法について注文をつけられたり、不自由展から実行委員会が外されたりすることがないことを確約するよう迫った。

これには理由がある。不自由展実行委員会メンバーの岡本有佳氏らは九月二一日、検証委員会の山梨座長から再開のための条件として、不自由展実行委員会が外れ、キュレーターチームと参加作家で展示を組み立て直すことを提案されていたという。

審尋の終盤、別室に移動したあいトリ実行委員会側の代理人が大村知事の意向を一時間近くかけて確認し、ようやく和解が成立した。再開の時期は「想定」ではなく「前提」となり「キュレーションの一貫性」については「展示空間内での展示位置、方法の改善等をする可能性があることを含む趣旨」と明記された。

「予定外の九月三〇日の審尋期日設定が、知事を動かした」と中谷弁護士は見ている。それまでに回答がなければ、仮処分決定しかないという態度を地裁が示していたからだ。「仮処分で『再開せよ』と命令されたら、河村たかし名古屋市長らを憲法違反だと批判している大村知事自身のやっていることが憲法二一条の表現の自由に対する侵害だと言われてしまう」

一件落着したかに見えたが、あいトリ側は和解条項にはなかった会場での「全面撮影禁止」を持ち出してきた。一〇月八日の再開にこぎつけるまで、また一波乱も二波乱もあった。

再開にあたり、あいトリ実行委員会は安全対策を強化した。入場者を抽選方式にして大幅に制限したり、入り口で所持品を預かり、金属探知機でボディーチェックをしたうえ、会場で撮った写真や動画を閉幕までSNSに投稿しないとの同意書提出まで求めた。また、展示室内の取材規制も行なった。電凸に備え、一〇分を過ぎると電話が切れる仕組みを導入、内容によっては途中で切ることも認めた。電話に出る職員は名乗ることがルール化されていた

名古屋地裁に申し立てた「表現の不自由展・その後」の再開を求める仮処分申請した経緯について市民を前に説明する中谷雄二弁護団長＝ 2019 年 9 月 17 日、東京都文京区で

が、職員の名前がネット上にさらされた教訓から、「名乗らなくてよい」という対応に変更した。

　このうち、荷物チェックや電話対策などの多くは、不自由展実行委員会が開幕前から、再三にわたってあいトリ実行委員会に求めていたものだった。

「中止の必要はなかった」

　さまざまな困難を乗り越えて漕ぎ着けた再開だが、中谷弁護士は大村知事による中止判断そのものに疑問を投げかける。

「再開してからの状況を見れば、あの中止は必要なかったと思います。現場が平穏だったというだけでなく、現実に来ていたのは抗議の電話、メール、ファクスで、現場そのものに対する危害はそれほどのものはなかった」

大村知事が中止会見で言及したガソリン放火予告事件で八月七日、男が逮捕された。同日、会場となった愛知芸術文化センターで警察官に液体をかけたとして公務執行妨害の疑いで男が現行犯逮捕された事件が起き、不自由展と絡めて報じられたが、その後に無関係だったことが分かっている。

一方、不自由展の会場に拡声器を持って入場した人もいた。「こういう状況を放っておいて、危険だ、危険だ、と言って中止するのはおかしい。警備に対する意識がなさ過ぎたのではないか。きちっと体制を取っていれば乗り切れたことは、再開した六日間で証明された」。

中止決断時、現実の危険が切迫した状況でなかったことは、八月二日に届いたガソリン放火予告ファクスについて、あいトリ実行委員会事務局の幹部が同日夜の会議で「いたずらファクス」という表現を使っていたことや、被害届が四日後の六日になって出された（あいトリ側は「二日、すぐに警察へ通報した」と反論）ことからもうかがわれる、と不自由展実行委員会側は主張してきた。

それではなぜ中止する必要があったのか。

「真の理由は違うところにあると思っています。政治家の発言ですよ。河村市長の発言だったり、菅義偉官房長官の発言だったり。そこをきちっと見ておく必要があると思う。事実上の『検閲』と言って間違いない。これに格好をつけて従ったのが安全性を理由にした中止ですよ」

中谷弁護士は手厳しい。

大村知事の中止判断を「差し迫った危険のもとの判断でありやむを得ない」とした検討委員会の最終報告も切って捨てる。

「明らかに間違っています。右派勢力に対して言い訳をするために、ああいう検証委員会（後に検討委員会）を集めて、再開の方向性を出させて、なだめようとした。知事も政治家だから、やむを得ないとは思いますが」

ニコンサロン事件の損害賠償請求訴訟で二〇一五年にあった東京地裁判決（確定）は、「警察当局にも支援を要請するなどして混乱の防止に必要な措置をとり、契約の目的の実現に向けた努力を尽くすべきであり、そのような努力を尽くしてもなお重大な危険を回避することができない場合」にのみ一方的な開催拒否もやむを得ないとしている。

この点について、検証委員会の中間報告が出された直後の記者会見で、委員の曽我部真裕・京都大学大学院法学研究科教授（憲法学）に問うと、「最高裁判決と違って先例性はない」と断ったうえで「（開幕に当たって）不自由展に際して警備員を増員しているし、事前に警察との協議もして、警察官も毎日顔を出していたことも分かっているので、合理的な警備は尽くしていることを前提として、『やむを得ない』という判断に至っている」と説明した。いったん閉じてしまったものを開くには相当なエネルギーが必要だ。中谷弁護士はこう力説する。

「表現の自由が、非常に感情的な声で封殺され、それを政治家が煽れば、一気に火が付いて何もものが言えない状況がつくられてしまう。それはおかしい、みんなで議論するためには、一方的な非難や脅しをしてはならないんだ、と示すことができたのが、再開の最大の意義だと思います」

中谷弁護士は今回の仮処分申請には相当の覚悟で臨んだという。

「戦前のことを言うと、そんなふうにはならんと言われるけど、この事件を引き受けたときに、戦前の言論弾圧事件や、学問の自由、思想信条の自由を侵害された滝川事件や天皇機関説事件のように、日本社会が変質していくきっかけになるんじゃないかと、弁護士としては非常に危機感を抱いてやった事件でした」

大村知事も朝日新聞のインタビュー（一九年一二月二四日付）で、皮肉にも中谷弁護士と符合した認識を語っている。

「日本社会が危険だ、日本は戦争に向かっている――そういう警鐘を聞くたびに僕はずっと『それは言いすぎだ。日本は成熟した民主主義国家だよ』と思ってきました。けれど今回

「あいちトリエンナーレ 2019」の最終日（10月14日）に大村秀章・愛知県知事、津田大介氏らが最後の来場者を見送った＝愛知芸術文化センターで

の件で初めて、日本は危険な国、危険な社会になりつつあると感じました」

不自由展中止以降も、映画祭での上映中止や展覧会の展示不許可など息苦しい事件が相次いでいる。

「世論が一気に流されちゃって、考えることを全部お上に預けて市民が流されちゃう危険性があるので、この国は怖いと僕は思っているんです。今回の中止でそれが明白になった。考えるきっかけになったんだから是非、いろんなところできちっと闘っていくべきだ」

中谷雄二弁護士はそう訴えた。

3 それは報道の不自由展だった

再開後は厳しい取材規制

国際芸術祭「あいちトリエンナーレ2019」（あいトリ）で中止となった企画展「表現の不自由展・その後」は開幕から三日目の八月三日、中止に追い込まれたものの、これまで見てきたように閉幕まで七日に迫った一〇月八日に六六日ぶりの再開に漕ぎ着けることができた。しかし、再開した不自由展の会場内の様子が丁寧に報道されることはなかった。その原因は、大村秀章・愛知県知事が会長を務めるあいトリ実行委員会が、展示会場の様子を収めた写真や映像を一四日の閉幕まで報道することを禁止したからだった。

会場内での取材をめぐっても、あいトリ実行委員会はすぐには許可しなかった。再開四日目（一一日）になってようやく県政記者クラブに対してだけカメラマンによる代

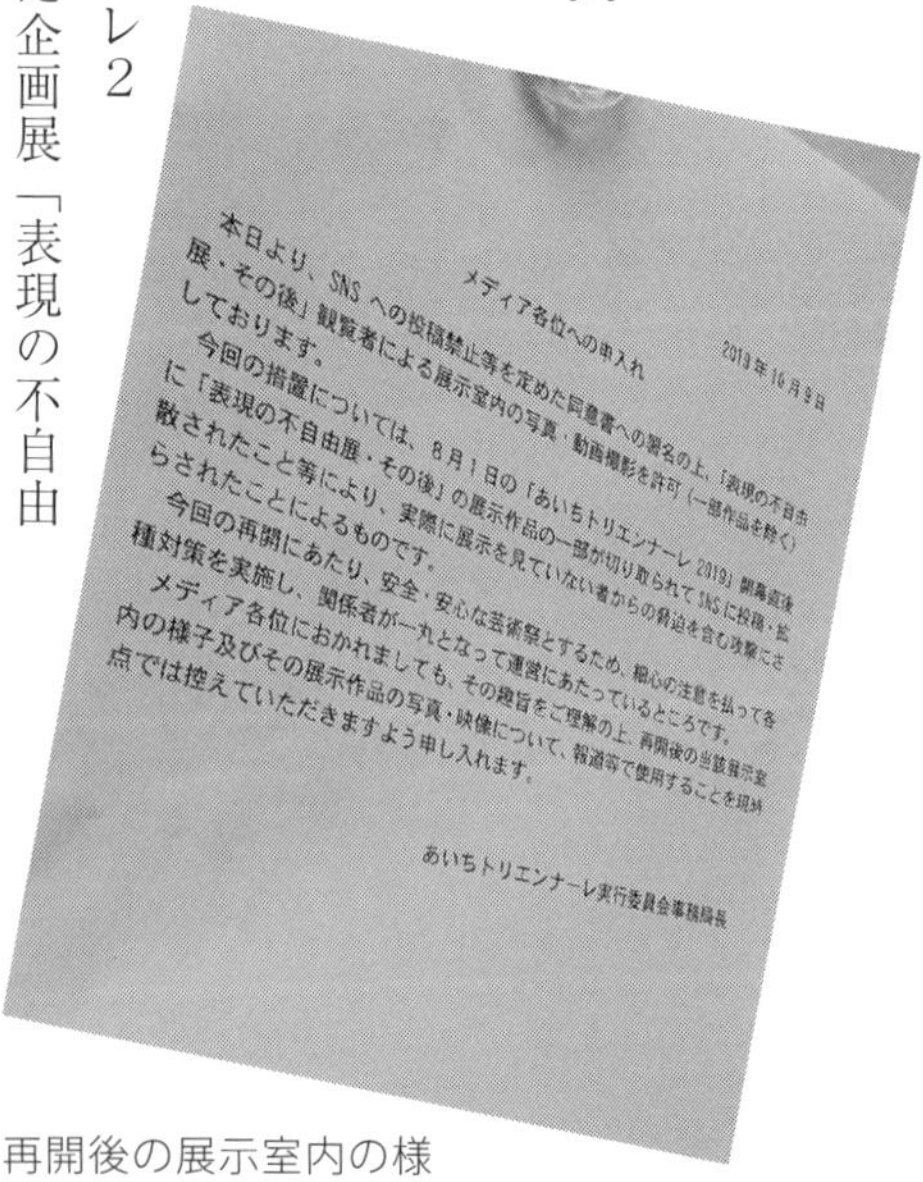

2019年10月9日

メディア各位への申入れ

本日より、SNSへの投稿禁止等を定めた同意書への署名の上、「表現の不自由展・その後」観覧者による展示室内の写真・動画撮影を許可（一部作品を除く）しております。

今回の措置については、8月1日の「あいちトリエンナーレ2019」開幕直後に「表現の不自由展・その後」の展示作品の一部が切り取られてSNSに投稿・拡散されたこと等により、実際に展示を見ていない者からの脅迫を含む攻撃にさらされたことによるものです。

今回の再開にあたり、安全・安心な芸術祭とするため、細心の注意を払って各種対策を実施し、関係者が一丸となって運営にあたっているところです。

メディア各位におかれましても、その趣旨をご理解の上、再開後の当該展示室内の様子及びその展示作品の写真・映像について、報道等で使用することを現時点では控えていただきますよう申し入れます。

あいちトリエンナーレ実行委員会事務局長

再開後の展示室内の様子について報じることを控えるよう求める文書がプレスセンターに張り出された＝2019年10月9日

表取材を認めた（この映像の使用は容認）。一方、カメラマンではなく、記者による会場内での取材は不許可。フリーランスを含む希望者に取材を許可したのは一二日と一三日に来場者がいなくなった閉館時間帯での展示室への立ち入りだけで、撮影機材の持ち込みはさせなかった。結局、撮影を認めたのは、一四日の閉幕後だった。

〈本日より、ＳＮＳへの投稿禁止等を定めた同意書への署名の上、「表現の不自由展・その後」観覧者による展示室内の写真・動画撮影を許可（一部作品を除く）しております。

　今回の措置については、八月一日の「あいちトリエンナーレ２０１９」開幕直後に「表現の不自由展・その後」の展示作品の一部が切り取られてＳＮＳに投稿・拡散されたこと等により、実際に展示を見ていない者からの脅迫を含む攻撃にさらされたことによるものです。

　今回の再開にあたり、安全・安心な芸術祭とするため、細心の注意を払って各種対策を実施し、関係者が一丸となって運営にあたっているところです。

　メディア各位におかれましても、その趣旨をご理解の上、再開後の当該展示室内の様子及びその展示作品の写真・映像について、報道等で使用することを現時点では控えていただきますよう申し入れます〉

一〇月九日午後、あいちトリエンナーレ実行委員会は報道関係者に対して「メディア各位への申入れ」とのタイトルを記したこのような文書を配布した＝写真。同日午後にあった再開後の目玉イベントの一つである「平和の少女像」を制作した金運成（キム・ウンソン）、金曙炅（キム・ソギョン）夫妻が参加するトークイベントの傍聴取材で待機する記者たちにまず配られた。

申し入れ者は、あいトリ実行委員会の事務局長を務める大参澄夫・愛知芸術文化センター長だ。

配布文書に記されていたように、初日（八日）は禁止していた鑑賞者による展示作品の撮影を二日目からは許可する代わりに、会期中はＳＮＳ等へ投稿しないことを条件にし、同意書に署名を求めた。同意書を取ったのは、八月一日〜三日の開催中、撮影を認める一方でＳＮＳへの投稿は禁止する告知を会場の入り口に張り出したが、効果がなかったためだ。

あいトリ実行委員会の広報担当者によると、同委員会事務局長名で報道機関にこの文書を配布したのは、報道関係者が抽選に当たって会場内を撮影して、それを報道したり、撮影した鑑賞者から提供を受けて報じることを防ぐためだという。記者が高い競争率を突破してようやく不自由展の会場にたどり着いても報じてはいけないというのである。この広報担当者は「正式な取材ではない方法で入手した場合を想定した」と話した。

再開に伴って鑑賞者による写真撮影を認めつつ、その一方で行なったのが、報道関係者に対する報道禁止の申し入れだったというわけだ。こうした厳重な規制は大村知事の意向。ＳＮＳで作品が拡散された再開後の様子を見た人たちからの攻撃を誘発するのではないかと懸念が示されたためという。

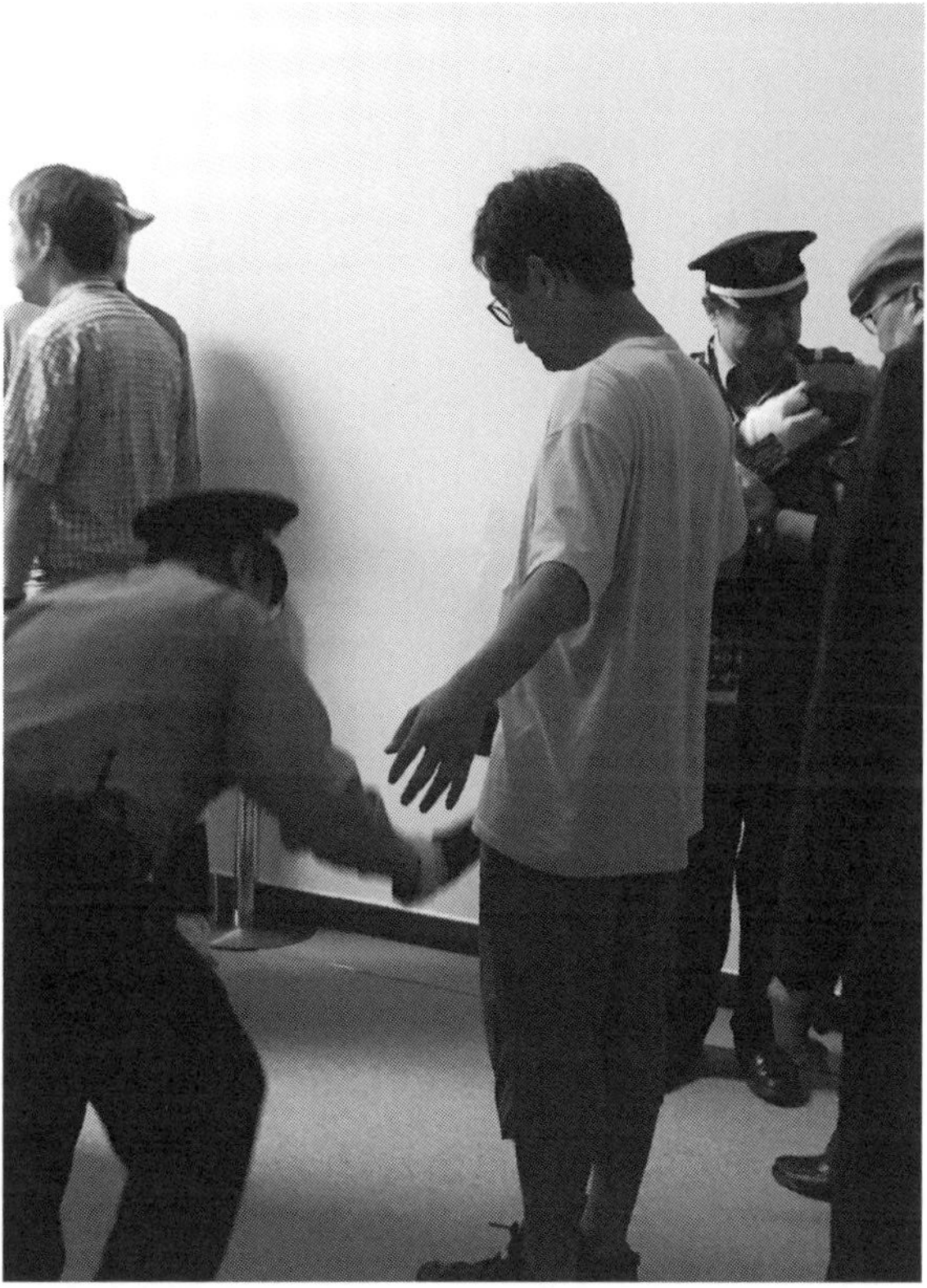

「表現の不自由展・その後」の展示会場に入場する前には１人ひとり金属探知機によるボディーチェックが行なわれた＝2019年10月8日

再開を求める表現の不自由展実行委員会が、あいトリ実行委員会を相手に名古屋地裁に申し立てた仮処分で和解が成立したのは九月三〇日で、一〇月六日～八日の間での再開を目指した。ところが再開のための条件を協議する中で、あいトリ実行委員会――つまり、大村知事が強くこだわったのは、展示室内での写真や動画撮影の禁止だった。申し入れにもあるように、表現の不自由展が始まった八月一日からおびただしい抗議や脅迫が寄せられた背景には、鑑賞者によるＳＮＳへの投稿があったと考えていたからだ。

あいトリ全体では作品の撮影は自由だが、不自由展に限って開幕当初からＳＮＳへの投稿が禁止されたのは、これも大村知事の強い意向があったからだという（投稿禁止の告知板が展示室の入り口に設けられたが、現実には攻撃の対象となった、大浦信行氏の映像作品「遠近を抱えてＰａｒｔⅡ」を含めて投稿する行為を防げなかった）。これは、撮影も投稿も自由であるべきだと訴える不自由展実行委員会側との妥協の産物だったらしい。

関係者によると、表現の不自由展実行委員会と、あいトリ実行委員会が再開に向けて和解した後も大村知事は撮影禁止を強く求め、その意向は、大村知事が設置した「あいちトリエンナーレのあり方検証委員会」の座長を務める山梨俊夫・国立国際美術館長を通じて伝えられた。再開条件が固まらずに協議が難航し、早ければ六日だった再開が八日にずれ込んだ最大の理由だったという。これに対して、不自由展実行委員会は和解の条件の一つとなった展示中止前の状態との同一性の確保――撮影は認めるが、ＳＮＳへの投稿は禁止する――に反するると抵抗し、「試験的」との位置づけで再開初日（一〇月八日）は全面禁止となった。二日目の九日からは、抽選で当選した来場者には同意書への署名を求めて撮影を許可した。同意を求めた内容は①写真・動画のＳＮＳ投稿、②映画作品の撮影、③来場者およびスタッフの撮影――の禁止など計五項目だった。それに加えての報道禁止の要請だった。

不自由展実行委「広報姿勢における重大な過誤」

表現の不自由展実行委員会は一〇月一一日、「報道関係者の撮影取材許可を要請します」との声明を発表した。その中で「不当な攻撃や妨害行為にさらされた同展が再開し、さまざまな人の努力によって無事に運営されていることを多くの人に知らせることは、社会的不安を軽減することにもつながります」「再開前日の一〇月七日、あいトリ側よりプレス対応について相談を受けましたが、その際、プレスには公開すべきであること、観客の自由な鑑賞を妨げないよう配慮しつつ、プレス内覧会の実施、一度に入る報道関係者の数の調整などをしながら同展の会場の取材を保障することを提案しました。しかし、会長（注・大村知事）の許可がおりず、翌日から展示会場へのプレスの立ち入り禁止及び、館内での観客へのインタビュー禁止の措置がとられています」と明かし、「本展の広報姿勢における重大な過誤にほかなりません」と指摘した。

そもそもあいトリ実行委員会の広報担当者が言う「正式な取材」とは、何なのか。

あいちトリエンナーレの取材を行なうには一日ごとに取材登録を行なう必要があり、表現の不自由展に限らず、展示会場内での撮影は広報担当者の同行なしに行なうことはできない。その同行も一回三〇分が基準となっている。一方、一般の来場者は自由に作品を撮影することができるという実は、ちぐはぐな状態が生まれていた。そしてその「正式な取材」でさえ、再開した不自由展では認めないという姿勢をあいトリ実行委員会は貫いたのだった。

「正式な取材」と言われて思い浮かぶのが、二〇一三年一二月に成立した、特定秘密保護法の国会での法案審議だ。

特定秘密保護法は、防衛、外交、スパイなどの特定有害活動、テロリズムの防止――の四項目に関連した政府の情報を「特定秘密」に指定し、それらを漏らした公務員や、公務員から情報を入手しようとする行為（未遂）も処罰対象になり、最高懲役一〇年の厳罰が科せられるというものだ。取材活動と正面から対立することから批判が出て、同法には「法令違反又は著しく不当な方法によるものと認められない限りは、これを正当な業務による行為とする」とする条文が加わり、安倍政権は「通常の取材は処罰されない」との答弁を繰り返した。

二〇〇四年、イラク南部のサマワに陸上自衛隊が派遣されることになり、新聞記者が広報を通さずに日本国内の自衛隊基地周辺で自衛隊員へ感想を求める取材を直接試みる行為を陸上自衛隊は「反自衛隊活動」と決めつけたりするなど「通常の取材」の範囲をめぐって批判が出た。

あいトリは事実上、愛知県の組織とも言え、特定秘密には各都道府県警もかかわる。行政の関係者が、報道規制の申し入れにあたって「正式な取材」と口にしたのを聞き、役人の考える取材観の一端が垣間見えた。

ところで、あいトリのホームページには報道関係者向けのコーナーがあり、そこには注意事項として、次のような表記があった。

〈誌面掲載、番組放送前に原稿を確認させていただいております。必ず校正段階での原稿・映像等を事前に広報専用メール（press@aichitriennale.jp）へご提出ください。〉

堂々と開幕前から告知し続けているのだ。これこそ検閲行為そのものではないだろうか〈事前提出は、「作品の著作権保護や出展作品のクレジット確認等のため」という説明がされていた。

実際の報道に当たって、原稿・映像の不提出をあいトリ実行委員会から咎められることはなかった。ただ、広報担当者によると、事前検閲のような要請に応えて提出するメディアもあるのだという。あいトリのような芸術祭を担当する一部の専門記者の間で行なわれてきた慣行の一つのようで、あいトリで表現の自由を取材していた立場からは大きな驚きだった。ただ、あいトリ関係者は、担当者なしに取材のような振る舞いをしている人を見つけると、取材かどうかの確認をしていたのだった)。

大村知事には自分自身の発言を思い出してほしかった。

八月二日、あいトリ実行委員会の会長代行である河村たかし名古屋市長は、表現の不自由展を視察した後、会長の大村知事に対して次のような抗議文を出した。

〈「表現の不自由展・その後」は、表現の不自由という領域ではなく、日本国民の心を踏みにじる行為であり許されない。行政の立場を超えた展示が行なわれていることに厳重に抗議するとともに、即時、天皇陛下や慰安婦問題に関する展示の中止を含めた適切な対応を求める〉

こうした河村市長の行為に対して、翌三日に展示中止を発表した大村知事の批判は次の内容だった。

〈今回の河村さんの一連の発言は、私は憲法違反の疑いが極めて濃厚ではないかというふうに思っております。憲法二一条はですね、もうご案内のように「集会、結社及び言論、出版その他一切の表現の自由は、これを保障する」。第二項で「検閲は、これをしてはならない。通信の秘密は、これを侵してはならない」というふうになっております。このポイントはですね、国家があらかじめ介入してコントロールすることはできない。要は、既存の概念や権力の在り方に異論を述べる自由を保障する。要は、公権力が思想内容の当否を判断すること自体が許されていないのです〉

「公権力が思想内容の当否を判断すること自体が許されていない」――。

こう訴える大村知事の発言は表現の自由を守る立場の人たちからは評価され、また多くの報道機関が大きく取り上げた。しかし、その一方で大村知事は、自らが会長を務めるあいトリ実行委員会が定めた取材ルールにはこれまで述べたような規定があり、再開した表現の不自由展では自ら徹底した報道規制を主導した。

大村知事の「市長の行為は検閲」との指摘について河村市長は「それなら堂々と『あの展示は正しい』『名古屋市や愛知県、国が展示を認めたのだ』と言えばいい」と反論したが、こうした取材ルールや再開に当たっては自ら規制を指揮したことを河村市長が知ったら、どう反撃を加えたろうか。

月刊誌『世界』二〇一九年一二月号の「メディア批評」に次のような寄稿が載った（抜粋）。

撮影許可は閉幕後

台風一九号の影響で閉館となった一二日を除くと、開館日は六日間。このうちあいトリ実行委が取材を認めたのは一一日の一日のみで、それも愛知県政記者クラブの代表取材だけだ。記者クラブに所属しないメディアや、フリーの記者には会期中は一切、認めなかった（論点①）。認めたのは、来場者のいない閉館時間帯（一二日、一三日）の立ち入りと、一四日の閉幕後の写真撮影だけだった。

二日目の九日からは一般の来場者に対してはSNS等への期間中の投稿をしないことを求める同意書への署名を条件に作品の写真撮影を認めた。しかし、メディアに対しては、一般の来場者と同様に高倍率の抽選を突破し、鑑賞の機会を得て撮影できた場合や、来場者が撮影した写真の提供を受けた場合であっても報道を禁止したのである（論点②）。関係者によると、再開を求める仮処分を申し立てた不自由展実行委員会と県、あいトリ実行委員会が九月三〇日に一〇月六～八日の間での再開を目指すことで合意しながら、再開が八日にずれ込んだ背景には、会長の大村秀章知事が来場者による写真撮影の禁止に強くこだわったことがあるという。

筆者は、あいトリ実行委に本誌編集部を通じて文書で質問した。

論点①については「一般来場者の鑑賞環境を確保するため」とし、論点②に関しては「新たな映像が再び拡散されることにより、攻撃が再発する懸念があると判断した」と回答した。しかし、それは説得力が欠けるものだった。八日は六〇人だった来場者の定員は徐々に増やされ、最終的に二四〇人となった。しかし、辞退者もあって定員割れは一日あたり一〇人程度も生じ、取材枠を設けることも可能ではなかったか。実行委はその程度の努力も怠った。来場者が作品を前にどんな反応を示したのか。展示室はどんな雰囲気だったのか。再開後の様子は世の中にはほとんど伝えられなかった。それでよかったのだろうか。中止前に撮影された映像が報じられる中で、新たな映像に限って攻撃の再発を招くという主張の根拠は不明確で、一一日に代表撮影された映像が報じられていることを踏まえると、実行委事務局長（大参澄夫愛知芸術文化センター長）の判断は過剰な報道規制だと言わざるを得ない。これを前例にしてはならない。

◇　◇

最後にあいトリ実行委員会に出した質問に対する回答を共同筆名の神保太郎各氏の同意を得て掲載する。表現の自由に対する感度が伝わるはずだ。

表現の不自由展をめぐる取材で、報道の不自由が浮き彫りになるのはなんとも皮肉な国際芸術祭であった。

岩波書店「世界」編集部様への回答（10月23日）

1-1　10月9日、あいちトリエンナーレ実行委員会事務局長名で報道関係者に配布された文書「メディア各位への申入れ」についてお尋ねします。その中には「再開後の当該展示室内の様子及びその展示作品の写真・映像について、報道等で使用することを現時点では控えていただきますよう申入れます」とあります。表現の不自由展の展示室内の様子及び展示作品については既にメディアが撮影した写真・映像があり、再開が決定した後も報じられています。開催後の展示室内の様子及び展示作品を写した写真・映像を報じることがどのような明白かつ現実的な危険を招く恐れがあると事前に判断したのかの理由をお示し下さい。

→8月1日のあいちトリエンナーレ開幕以降、作品の一部が切り取られてSNSやメディア等を通じて拡散されたことをきっかけとして、実際の展示内容を見ていない者からの電話攻撃やテロ予告、脅迫が発生しており、実際の逮捕者も出る事態となりました。また、あいちトリエンナーレとは無関係の施設にまでそうした攻撃が及びました。

「表現の不自由展・その後」の再開にあたって、新たな映像が再び拡散されることにより、こうした攻撃が再発する懸念があると判断しました。

1-2　このようなことをメディアに求めることが、憲法21条が禁止する検閲に当たらなかったり、報道の自由への介入と考えなかったのか。その理由をお示し下さい。申入れに反して報じたメディアはあったのでしょうか。また、あったのであれば、そのメディアに対してはどのような措置を取ったのかをお示し下さい。

→美術作品を扱う芸術祭や美術展等において、美術館内の撮影や、作品を映した映像の使用にあたって一定の条件を設けることは一般的であり、検閲及び表現の自由への介入にあたるとは考えておりません。

申入れにご協力いただけなかったメディアについては把握しておりません。

2　10月8日に表現の不自由展は再開されました。
①10月11日、開館時間中の取材について、愛知県政記者クラブに対しては代表取材を認めましたが、記者クラブに所属していないメディアについては再開後は一切、認めませんでした。②12、13日の希望者への展示室内への立ち入りは認めましたが、撮影を許可しませんでした。

その理由をそれぞれお示し下さい。

→10月11日は、限られたスペースの展示室内において一般来場者の鑑賞環境を確保するため、入室するメディアを最小限とする必要があり、代表取材の方式とさせていただきました。なお、希望するメディアに対しては、あいちトリエンナーレ実行委員会事務局が撮影した画像（動画・写真）を提供しております。

10月12日、13日は、メディアの方にも再開後の展示について一般来場者と同じ流れで鑑賞を体験していただくことを目的としており、限られた時間の中で入室を希望するメディアを多く受け入れるため、撮影については不可としました。

なお、展示作品自体は基本的に再開前と同じであり、7月31日の内覧会と、8月3日の展示中止の発表直後に、メディア向けに機会を設けて、すでに撮影を行っていただいております。

3　10月14日のあいちトリエンナーレの閉幕後、表現の不自由展の展示室内の写真撮影を希望するメディアに認めました。しかし、大浦信行氏の映像作品「遠近を抱えてＰａｒｔⅡ」については既に閉幕後であるにもかかわらず、上映をしませんでした。その理由をお示し下さい。

→限られた時間において20分ある映像作品全体を見ていただくことが困難であったためです。特に今回の作品について、作品全体を通して鑑賞しなければその意図が伝わらない懸念があり、映像の一部が切り取られて拡散することで、再び攻撃にさらされる恐れがあるためです。

なお、当該作品全体および検証委員会による解説については、9月21日に開催された「表現の自由に関する国内フォーラム」（主催：あいちトリエンナーレのあり方検証委員会）のYouTube記録映像にて視聴することが可能です。

https://www.youtube.com/watch?v=gCoPFFA9aq0

4-1　あいちトリエンナーレのメディア向けのコーナーには「誌面掲載、番組放送前に原稿を確認させていただいております。必ず校正段階での原稿・映像等を事前に広報専用メール（press@aichitriennale.jp）へご提出ください」との記述があります。こうした対応をメディアに求めることが憲法21条が禁止する検閲や、報道介入と考えなかったのか。その理由をお示し下さい。

→事前確認の趣旨は、作品の著作権を保護するため、出展作品のクレジット（アーティスト名、作品タイトル、制作年等）や、芸術祭の内容（会場情報、プログラム内容等）について、事実誤認がないかを確認するためであり、それ以外に記事の修正をお願いすることはありません。また、実際の運用として、新聞社やテレビ局については事前確認を行っておりません。

こうした対応は美術作品を扱う芸術祭として通常のものであり、過去の「あいちトリエンナーレ 2016」でも同様の対応をしていたほか、他の地域で開催されている芸術祭や美術展等においても同様の対応が行なわれていると承知しています。このため、検閲や報道介入にあたるとは考えておりません。

4-2　上記の求めに応じたメディアはあったのでしょうか。また求めに応じず報じたメディアに対してはどのような措置を取ったのかをお示し下さい。

→上記のとおり美術展として通常の対応であり、美術関係紙をはじめ協力いただいています。なお、実際の運用として、新聞社やテレビ局については事前確認を行っておりません。

事前確認を行っていないものについて、出展作品のクレジット（アーティスト名、作品タイトル、制作年等）や、芸術祭の内容（会場情報、プログラム内容等）について事実誤認があることが分かった場合、その都度修正依頼を行っております。

5　表現の不自由展の再開を発表した 10 月 7 日から、閉幕した 14 日の間に、メール、電話、ファクス等による抗議があった件数をお示し下さい。また、閉幕後についても最新の集計をお示し下さい。

→「表現の不自由展・その後」に関する問い合わせ件数（メール、電話、FAX の計）は以下のとおりです。
※あいちトリエンナーレ実行委員会あての問い合わせ件数で、電話については県庁のコールセンター対応分も含みます。
※ 10 月 12 日～ 14 日及び 10 月 19 日、20 日については土日祝日のため電話対応を行っておらず、メールと FAX の件数となります。
※内容については現時点では集計していないため、抗議の他に、賛成や簡単な問い合わせの数も含みます。
○会期中
・10 月 7 日（月）　約 450 件
・10 月 8 日（火）　約 580 件
・10 月 9 日（水）　約 510 件
・10 月 10 日（木）　約 370 件
・10 月 11 日（金）　約 250 件
・10 月 12 日（土）　約 210 件（メール・FAX のみ）
・10 月 13 日（日）　約 200 件（メール・FAX のみ）
・10 月 14 日（月・祝）約 80 件（メール・FAX のみ）

○閉幕後
・10 月 15 日（火）～ 21 日（月）の合計　約 520 件

4　大村秀章・愛知県知事インタビュー

不自由展中止の判断は正しかった

筆者のインタビューに答える大村秀章・愛知県知事＝2022年7月15日＝名古屋市中区の愛知県公館で

旧日本軍「慰安婦」を象徴する「平和の少女像」や昭和天皇をコラージュした肖像画を燃やす映像作品などの展示をめぐって電凸攻撃や脅迫が相次ぎ、企画展「表現の不自由展・その後」が中断・再開された国際芸術祭「あいちトリエンナーレ２０１９」（あいトリ）から三年。表現の不自由展への批判は、あいトリ実行委員会会長を務めた大村秀章・愛知県知事のリコール運動に形を変え、大規模な署名偽造事件に発展し、逮捕者まで出た。二〇二二年夏、愛知県は出直しを図るため、芸術祭の名称を国際芸術祭「あいち２０２２」と変更し、七月三〇日から一〇月一〇日まで、名古屋市など県内三市で開いた。かつては盟友として「中京都構想」で連携した河村たかし名古屋市長らから批判を受けてきた大村知事は今、不自由展を振り返って何を思うのか。二一年七月、インタビューした。

少女像に「これがそうか」 開幕前にパネル展示を要請

――「平和の少女像」を直接、ご覧になり、どのような感想を持たれましたか。また、制作した作家夫妻は「慰安婦」問題について、見る人に一緒に考えてもらうために少女像の隣にイスを作りました。座られましたか。

大村秀章氏 （「あいトリ」開幕前日の）七月三一日の内覧会で初めて見ました。これがそうか、ということだけですね。（イスには）座りませんでした。作品に触るというのはよろしくないと私は思っています。拝見したということです。

――表現の不自由展が中止になった後に設置された県の検証委員会（後の検討委員会）の報告書によると、大村知事は津田大介芸術監督に「少女像はやめてくれないか、実物ではなくパネルにならないか」と要請したということですが、なぜですか。

大村氏 芸術祭というのは、専門家である芸術監督に展示内容については委ねるべきで、私は政治家ですから「金は出すが口は出さない」ということでこれまでもやってきました。作品の内容が良いから（金を）出す、悪いから引っ込めるというのでは、憲法上の検閲にあたる可能性もあるので、そんなことをやったら裁判で負けてしまいます。
ただし少女像については、これまでも国際的にいろいろな意見、議論がありました。反対派や反対運動の方が押し寄せるだろうな、と思っていましたので、現物でなくてもパネルでいいのではないかということでお願いしました。ほかにもＳＮＳへの写真投稿は禁止だとか、津田監督を通じて表現の不自由展の実行委員会に何度も何度も強くお願いはしました。あくまでも安全を考えたうえでのことです。

『遠近を抱えて…』は外そうと思った

――昭和天皇をコラージュした肖像を燃やしたシーンが批判を受けた映像作品「遠近を抱えて　ＰａｒｔⅡ」も開幕前にご覧になったのでしょうか。

大村氏　その作品の存在は知りませんでした。県の職員（あいトリ推進室長）は、内覧会前日の七月三〇日に初めて知らされました。「大村けしからん」とネットで騒いでいるので何のことかと思って、不自由展が中止となった後の八月四日にネットで初めて映像の一部を見ました。我々（県側）には知らされず、勝手に持ち込まれていたのです。だ

「あいトリ 2019」の閉幕後に記者の取材に応じる大村秀章・愛知県知事。「様々な課題、難題が降りかかってくる75日間だった」＝2019年 10 月 14 日、愛知芸術文化センターで

から、津田監督には「いくら何でもひどいじゃないか」と怒りました。その後、検証委員会副座長の上山信一さん（慶應義塾大学総合政策学部教授）に「勝手に持ち込まれたのなら、不自由展の再開時には展示しなくていいのではないか」と尋ねたら、上山さんは「いったん展示したものを外したら、何で外したのか、となってダメですよ。だから全部セットで再開するしかないんです」と言われて、それなら仕方ないなと思い直しました。

――どうして外そうと思ったのでしょうか。

大村氏　一番、批判を受け、攻撃の的にされていたからです。我々は安全性を確保しなければいけないのです。繰り返しになりますが、内容が良い悪いではないのです。

——もしも映像作品を事前にご覧になっていたら、どういう判断をされたのでしょうか。

大村氏　一緒ではないでしょうか。より安全性を確保するために、警備を強化するということです。

——少女像のときのように、パネル展示を提案することなどはあり得たのでしょうか。

大村氏　そういうのはあるかもしれません。こういう作品ですよという紹介を付けるとか、もうちょっと（展示を）マイルドにできないか、と言ったかもしれません。あくまでも要望で、（表現の不自由展の実行委員会が）「それはダメです」と言われたらしょうがないです。

——不自由展の中止を発表した八月三日の記者会見では、「これ以上（脅迫が）エスカレートすると、安心して楽しくご覧いただくことが難しくなる」ことを強調していたためか、テロ行為を絶対許さないという大村知事の意思は伝わりませんでした。

一方、中止に追い込んだ攻撃に批判の声が出た後の八月五日の記者会見では「公権力を持った方がこの内容は良い、悪いと言うのは検閲ととられても仕方ない」「税金でやるからこそ、公権力でやるからこそ、表現の自由は保障されなければいけない」「犯罪の予告とは、これはもう犯罪行為なんで論外。警察当局に直ちに連絡をして、しっかり対応していただく」とのメッセージを発信されましたが、この間に何かあったのでしょうか。

大村氏　いや、一緒です。私の説明が舌足らずだったということだと思います。「表現の自由」は、基本的人権の中でも最大限尊重されなければいけない人権の一つです。人が人であるためには、自分はこうなんだということを表現する自由がないとできません。もちろん他人の権利を侵害してはいけませんが、表現の自由が思想信条の自由になり、投票の自由になる、それが民主主義の根幹だからです。

海外作家らの相次ぐ展示中止に危機感

――不自由展の再開に漕ぎ着けた要因について、何が大きかったと思いますか。

大村氏　芸術祭のうち国際現代美術展（他にパフォーミングアーツ、ラーニング、音楽プログラム、映像プログラムで構成）に参加した全アーティスト六六組中、九月末で一四組のアーティストが（不自由展中止に抗議して）展示を中止（や展示室閉鎖、内容変更）し、さらに増えていく可能性がありました。そうなったら、この芸術祭自体がアウトになってしまいます。

　検証委員会から「不自由展が閉じられたままだと今後、日本の芸術祭は国際的にも受け入れられない」とも言われました。「この芸術祭を（継続して）やっていく、これからの日本の国際芸術祭をしっかりやっていくという意味でも再開すべきだ」と検証委員会に強く背中を押していただきました。会場に入れる人数の制限などいろいろな制約をかけましたが、「安全、安心を確保して再開するためだったらその条件をのみましょう」と不自由展実行委員会も言ってくれたので、全部のアーティストの皆さんにも展示を再開していただいて、大団円でフィナーレを迎えることができました。

――表現の不自由展の中止を決めたとき、再開を念頭に置いていましたか。

大村氏　正直言って再開できるとは思っていませんでした。電凸からガソリン携行の脅迫など、あれだけの攻撃を受けましたから、これは無理だと思っていました。担当の文化部局だけでなくて県庁全体に攻撃は及んでいたのですから。

――不自由展を再開した後の状況を見れば、中止は必要なかったのではないかという意見もあります。

大村氏　とても無理だと思います。県庁全部が電凸とかいろんな攻撃をされて、あいトリとは無関係な仕事場まで機能マヒに陥っているような状況でした。延々と一時間も二時間もやられるんですよ。それだけ我々の対応が脆弱だったということかもしれません。これに対してはマニュアルを作って、電凸攻撃にはこうやって対応しよう。例えば、固定電話でなければ仕事ができないというのならその課の仕事はやめてもいいとしました。そうして、だんだんと耐えられるのではないかということになったから再開できたのです。

（大村知事の）事務所にも電凸攻撃や街宣車が来ました。電話は通信回線を根っこから切りましたし、抗議する人がもし事務所内に押し入ったら一一〇番する準備をしていました。もちろん、後で考えれば、「こう対応すればよかった」ということはあると思います。

――表現の不自由展を中止したのは、正しい判断だったと今も考えているのでしょうか。

大村氏　我々としては、警備から対応から十分準備はしたつもりでした。しかし、それをはるかに超える電凸攻撃、ＳＮＳの書き込み、「ガソリン携行缶を持ってお邪魔します」というファクスもあった。直前（七月一八日）には、京都アニメーション（京都府宇治市）のスタジオ（京都市伏見区）で三六人が犠牲となる放火殺人事件も起きていました。不自由展は、全部で一〇六ある、あいトリの企画のうちの一つです。一〇六分の一のために全部が中止になるということはあってはなりません。多くの現代アートのファンの皆さん、県民、市民の皆さんに申し訳ないということで、安全、安心のために表現の不自由展を中止するということにしました。その判断はいまも正しかったと思っています。

報道規制はやむを得ない

――「不自由展」は再開されたものの、厳しい取材規制が敷かれ、私たちフリーランスの記者が会場内で取材できたのは閉幕後でした。この点は、表現の不自由展の実行委員会も批判する声明を出しています。あいトリ実行委員会事務局は当時、大村知事の強い意向だと説明していましたが、報道規制を行なった理由は何ですか。

大村氏　八月一日のあいちトリエンナーレ開幕以降、作品の一部が切り取られてSNSやメディア等を通じて拡散されたことをきっかけとして、実際の展示内容を見ていない者からの電話攻撃やテロ予告、脅迫が発生して、逮捕者も出る事態となりました。あいトリとは無関係な施設にまでそうした攻撃は及びました。再開により、新たな映像が再び拡散され、こうした攻撃が再発する懸念がありました。安全・安心な芸術祭とするため、細心の注意を払って各種対策を実施する必要があり、メディア各位に対しても、再開後の展示内容の様子及びその展示作品の写真・映像等について、報道等での使用を控えていただくようお願いしました。

――こうした取材・報道規制は、大村知事が、憲法二一条が保障する表現の自由は、戦後日本の大事な人権だという主張と矛盾しないでしょうか。

大村氏　「表現の不自由展・その後」の再開にあたっては、検証委員会の中間報告（二〇一九年九月二五日）において、「脅迫や電凸等のリスク回避策を十分に講じること」や「写真撮影とＳＮＳによる拡散を防ぐルールを徹底する」ことが示されました。今回の事案は、来場していない人たちがネット上の断片映像や誤った情報に接し脅迫や電凸等の攻撃をしてきました。再開により、新たな映像が再び拡散され、脅迫や電凸等が再発することのないよう細心の注意を払う必要があり、安全・安心な芸術祭とするためにはやむを得ない措置であったと考えています。

――国からの補助金の「不交付」については、文化庁を提訴するとおっしゃっていましたが、最終的には七八二九万円から六六六一万円の減額で決着しました。

大村氏　我々は行政不服審査法で不服申し立てをしたのは、国を訴えたことと同義だと考えております。現に、裁判をする準備は全部整えていました。現実的に補助金交付で話がついた、折り合ったということです。

――提訴の意志まで示しながら減額で折り合ったことには、不透明感が残りました。

大村氏　まあ、それ以上はちょっと申し上げないことにしています。結論を見ていただければということです。

——朝日新聞のインタビュー（二〇一九年一二月二四日付）で「表現の内容が気にくわないから補助金を出さない、ということにつながる恐れがあります」「みんな萎縮して、この国の表現の自由は大きなダメージを受ける」とおっしゃっていますが、補助金減額で折り合ったことで、その恐れはないのでしょうか。

大村氏　国の役所がいったん、不交付と決定したことを覆したのは初めてだそうなので、それはそれで意義があったのではないかなと思っています。

河村市長は証拠を示して説明を

——表現の不自由展をめぐってはあいトリ実行委員会会長代行の河村市長が中止を求めました。開幕二日目（八月二日）、河村市長は視察に会場を訪れましたが、事前に対策は立てていたのでしょうか。

大村氏　会場に視察に来るとは聞いていませんでした。河村氏は私には事前に何も言わずに、記者たちを呼び寄せて一大パフォーマンスを仕掛けたのです。

――名古屋市の負担金の一部未払い問題では、一審の名古屋地裁で主催者のあいトリ実行委員会（県側）が勝訴しました。大村知事リコール運動を含め、あいトリ後の河村市長の対応について、どのように受け止められていますか。

大村氏　裁判所には我々の主張を全面的に認めていただきました。日本は法治国家で契約社会ですから、「気分が悪いから」といって契約を守らないと言ったら法治国家は壊れてしまいます。

（署名偽造という）民意の偽造、ねつ造まで行ない、何人もが有罪判決を受けましたが裁判は続いています。何が起きたのか、何をしたのか、一連の活動を主導した首謀者である河村氏は説明しなければいけないと思います。高須氏（克弥＝リコール運動団体会長）は、河村氏に全部頼まれたんだと、言っています。高須氏の言い分が違うのであれば、河村氏は証拠を示して説明しなければいけないのではないでしょうか。

河村氏の私に対する誹謗中傷は、表現の不自由展を再開したことで激しさを増しました。河村氏は県の敷地（表現の不自由展の展示会場がある愛知芸術文化センター）の中で、プラカードを立てて、（再開に抗議する）皆さんと「天皇陛下を侮辱するな」などと言って事実と違うことを主張しました。公職者が他人の敷地の中で「エイエイオー」とシュプレヒコールするなんてことは戦後の日本で初めてではないですか？　私はありえないと思います。

日本は危険な社会になっている

――名古屋市では二〇二一年七月、改めて表現の不自由展が市の施設で開かれました。ところが、届いた郵便物を開封したところ破裂したことを理由に市は六日間の会期を実質四日間も残して中止にしました。

大村氏　不特定多数の方が来る所には、安全策を万全に講じなければいけない、その一方で表現の自由は守らなければならない、というバランスの中でどう考えるかということではないでしょうか。手段を尽くしたうえで、展覧会、展示会、美術展はできる限り開かれるべきだと思います。

――県立施設で少女像を展示する申請があった場合、今後許可されますか。

大村氏　県の美術館とか展示施設は基準、規則がありますから、それに則って適法であれば受け付けます。ただ、（不自由展と）同じような内容であれば当然、安全を確保しなければいけないので、警備計画とかそういったものを出していただくことになると思います。

――表現の不自由展は、大阪（二一年七月）、東京（二一年六月～七月に計画されたが、抗議活動のため会場を変更し二二年四月に開催）でも行なわれましたが、警備のために警察の大規模な動員が必要でした。そうまでしないと開催できない今の社会状況についてどのように思われますか。

大村氏　人間は全員、「見目形」も含めて、考え方も感情も全部違います。その人間を人間たらしめるのが表現で、それを抑圧するのはまさに独裁です。表現の自由は、民主主義の原点ですから最大限尊重されるべきだと思います。そういう国を日本は戦後、選択したんです。もちろん、他人の人格を否定したり、攻撃したり、権利を侵害したりする自由はありませんよ。ですから、表現の機会、手段が厳重な警備、警戒のもとでしか全うできない風潮は残念な事態、状況だと思います。

　ただ、現実がそうであれば、主催者なり我々行政は、参加される方、見に来られる方の安全を守らなければいけませんから、コストはかかっても、そこは手当していく、守っていくということではないでしょうか。

――朝日新聞の当時のインタビューで「日本社会が危険だ、日本は戦争に向かっている――そういう警鐘を聞くたびに僕はずっと『それは言いすぎだ。日本は成熟した民主主義国家だよ』と思ってきました。けれど今回の件で初めて、日本は危険な国、危険な社会になりつつあると感じました」と危惧を示されています。その思いは今も変わりませんか。

大村氏　日本の分断の現状、分断社会の現状がこんなにひどいのか、という思いがしています。こうなってくると、戦前の日本のように、強硬な意見を言う方が受けて、あるところを分水嶺に一気に雪崩れ込んでしまうのではないかと。私は「それはないだろう」と思っていたのですが、ありうるような社会になっているのではないかという意味で、危険な傾向ですし、危険な社会になっていると（朝日記者に）申し上げました。それは今も変わってないのではないかと思います。

米国でトランプ前大統領が大統領選の敗北を認めず、自分の支持者に「議事堂へ行け」と煽りました。人も亡くなっている。そういうことが民主主義の本家である米国で起きている。まさに今、戦後日本を形作っている日本国憲法の一番大事な権利の一つである「表現の自由」を認めないことがまかり通るような論調、風潮があるというのは本当に危険なことだな、と正直に思っています。

――「表現の自由」を強く意識されるようになった原点は何ですか。

大村氏　戦後生まれ（一九六〇年三月）ですから、戦前の軍国主義下で人権が抑圧された社会を知りません。戦後民主主義の古き良き日本の高度経済成長時代に生まれ育った者として、そして戦後の日本社会に生きる政治家として、この社会は守っていかなければいけないという思いからです。

略歴

おおむら・ひであき　愛知県知事　一九六〇年、愛知県碧南市生まれ。東京大学法学部卒。八二年、農林水産省入省。九六年、自民党から衆議院愛知一三区で初当選し、五期連続当選。内閣府副大臣や厚生労働副大臣などを歴任。二〇一一年二月に県知事に初当選し、現在三期目。

表現の不自由展・その後

出品作家と作品

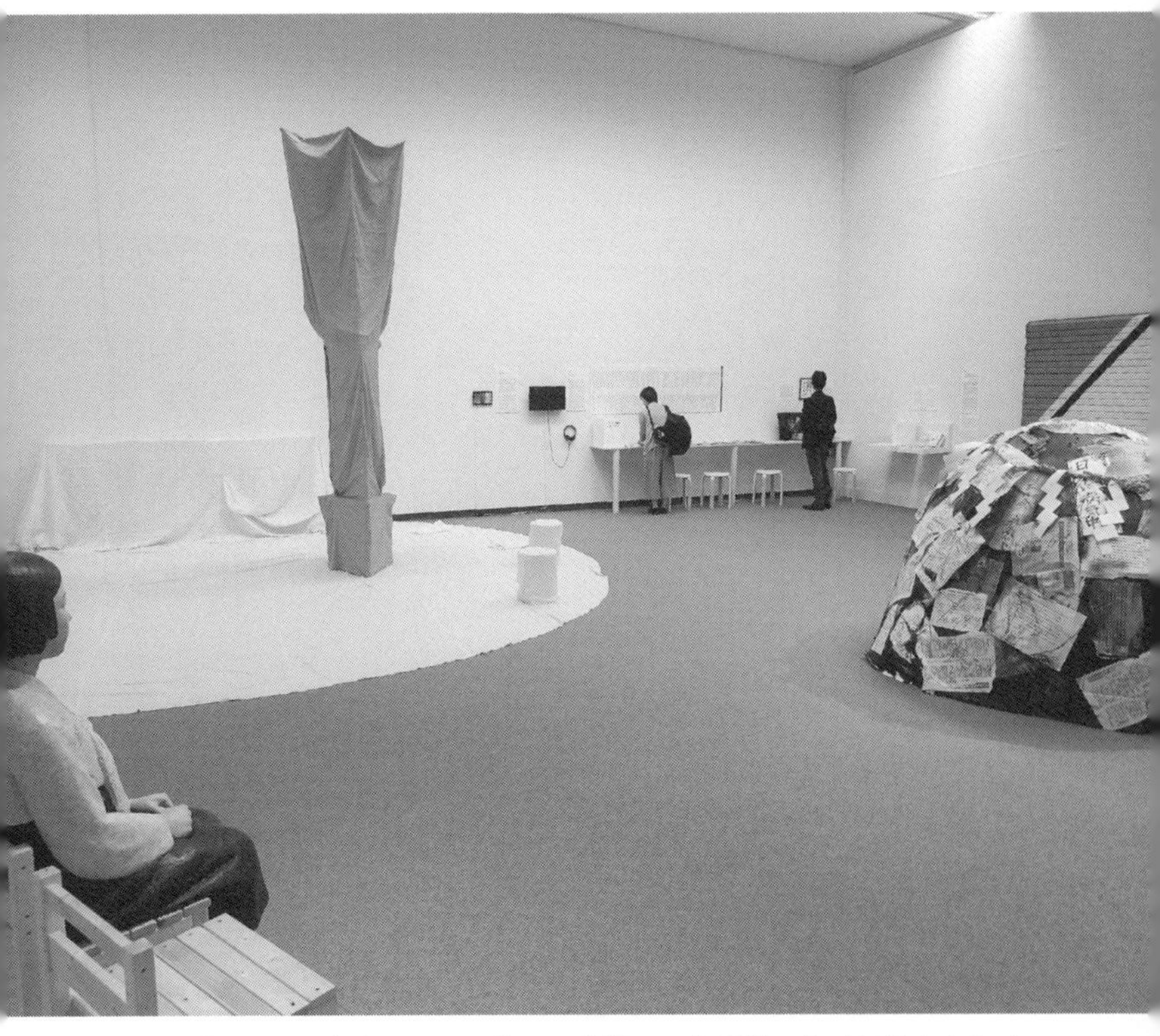

「表現の不自由展・その後」の会場は、作品数に比べ予算も少なく、面積も狭かった。背景には、準備の遅れによる予算確保の遅れ、展覧会自体を１つの作品と扱っていたこと等の事情がある（あいトリ検討委「調査報告書」より）

上：安世鴻（アン・セホン）　重重―中国に残された朝鮮人日本軍「慰安婦」の女性たち

右：大浦信行　遠近を抱えて PartⅡ

左：大橋藍　アルバイト先の香港式中華料理屋の社長から「オレ、中国のもの食わないから。」と言われて頂いた、厨房で働く香港出身のKさんからのお土産のお菓子

上：岡本光博　落米のおそれあり
左：金運成（キム・ウンソン）／金曙炅（キム・ソギョン）　平和の少女像（ブロンズ製のミニチュア）

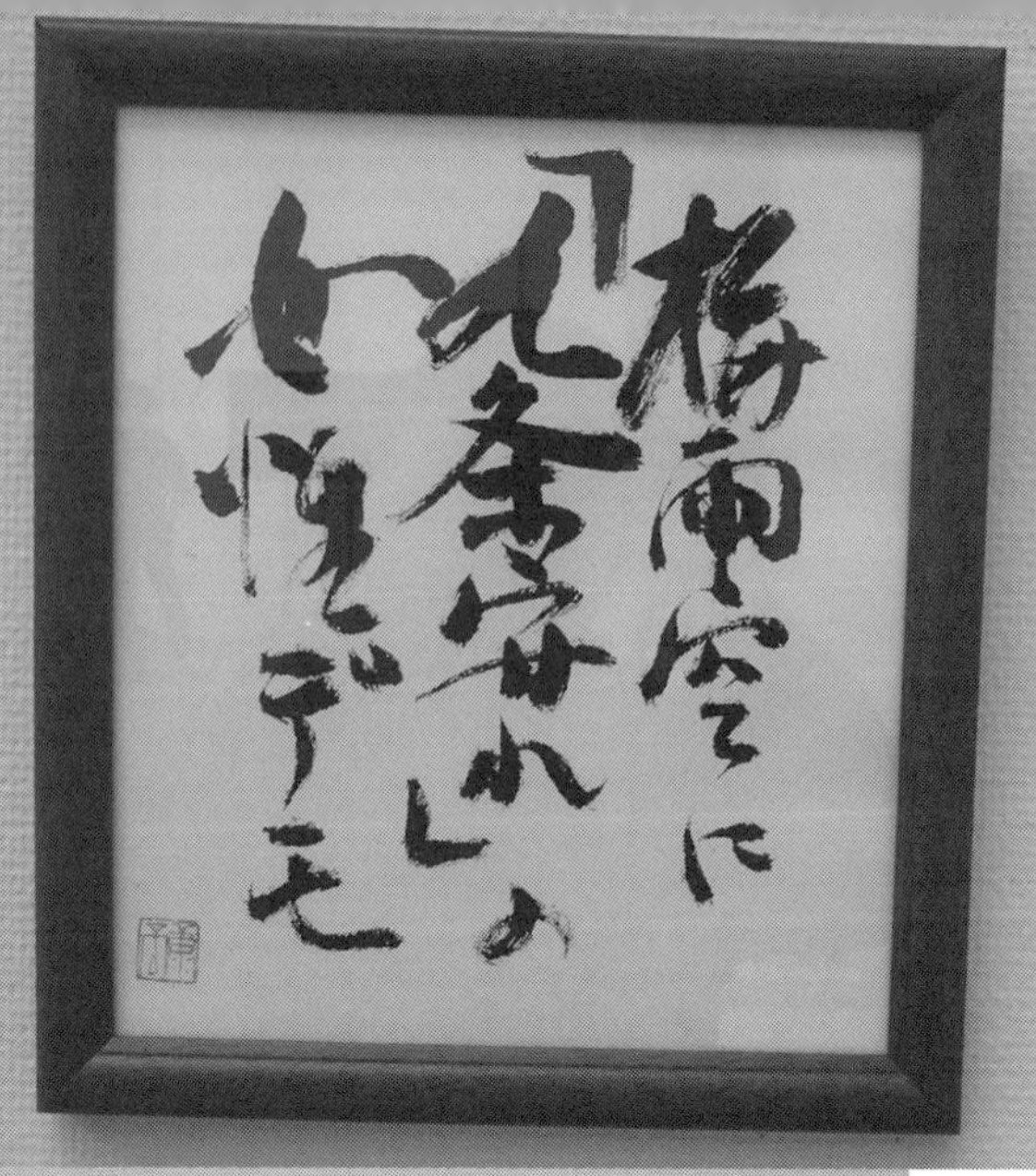

上：作者非公開　９条俳句
中：小泉明郎　空気＃１
下：嶋田美子　焼かれるべき絵／焼かれるべき絵：焼いたもの

上：白川昌生　群馬県朝鮮人強制連行追悼碑
下：趙延修（チョウ・ヨンス）　償わなければならないこと

上：Chim↑Pom　気合い100連発／耐え難き気合い100連発、中：永幡幸司　福島サウンドスケープ
下：藤江民　Tami Fujie 1986 work

上：中垣克久　時代（とき）の肖像―絶滅危惧種　idiot JAPONICA　円墳―

上：マネキンフラッシュモブ
下：横尾忠則　ラッピング電車の第五号案「ターザン」など／暗黒舞踏派ガルメラ商会

第2章

連　帯

来場者にメッセージを呼びかけたプロジェクト「#YOur Freedom」。不自由展の会場前の壁は、カードで埋め尽くされた＝2019年10月5日

1　立ち上がった海外作家たち

二割の出品作家が中止に抗議

愛知県名古屋市と豊田市を会場に開かれた国際芸術祭「あいちトリエンナーレ2019」（あいトリ、八月一日～一〇月一四日）の企画展の一つである「表現の不自由展・その後」は、「慰安婦」を象徴した「平和の少女像」など展示内容への脅迫などを理由に、開幕からわずか三日で中止に追い込まれた。

一〇月八日、不自由展は六六日ぶりに再開となったが、その背景にあった、あいトリに出品した内外の作家たち自身による抗議を込めた作品の展示中止や内容の変更も見逃せない。

「昨日（一〇月八日）の朝、愛知芸術文化センターに入った瞬間にロックが聞こえてきて、あれって思ったんです。超でっかいスピーカーから音が流れていたんですね。おとといまで

お互いに支え合い、励ましてくれた事務局や会場担当のスタッフたちを巻きこむつもりは毛頭ありません。私たちは彼らの熱心な仕事に感謝し、この困難な局面において彼らを支えたいと思っています。しかしながら、すでに「表現の不自由展・その後」が検閲されてから1週間以上が経ちました。この間に、運営側はアーティストとの公開議論の場を準備することに受け身のままで、私たちアーティストは展覧会を再開することがいかに重要かを強調してきました。そして、少なくとも二人がテロの脅迫を行ったとして逮捕されました。しかしながら、検閲された展示室が再開されるかどうかについて、未だ明快な回答をもらっていません。

従って、私たちは検閲されたアーティストたちとの連帯を公に示すための身ぶりとして、「表現の不自由展・その後」が観客に閉ざされている限り、トリエンナーレに展示している自らの作品展示を一時的に停止するよう、運営側に要求します。この行為を通じて、あいちトリエンナーレ実行委員会が、政治的介入や暴力に屈して「表現の自由」を妨げることなく、「表現の不自由展・その後」を再開し、素晴らしい仕事を続けてくれることを心より願います。

表現の自由は重要なのです。

タニア・ブルゲラ
ハビエル・テジェス
レジーナ・ホセ・ガリンド
モニカ・メイヤー
ピア・カミル
クラウディア・マルティネス・ガライ
イム・ミヌク
レニエール・レイバ・ノボ
パク・チャンキョン
ペドロ・レイエス
ドラ・ガルシア
田中功起（8月21日署名）
キャンディス・ブレイツ（9月3日署名）

多くの海外の作家らが「表現の自由を守る」として「表現の不自由展・その後」の再開を求める書簡に署名した

は鳴っていなかったんです。ロックががんがん流れていて。それ見た瞬間、わー生き返ったと思ってボロボロと泣いちゃったんですよ」

男女二人のアートユニット「キュンチョメ」の一人、ホンマエリ氏（「ReFreedom＿Aichi」のメンバー）が、そう振り返ったのは、メキシコ出身のピア・カミル氏の作品「ステージの幕」だった。あいトリの開会式の主会場ともなった愛知芸術文化センターの入り口にある吹き抜けのフロアに飾られた。いろいろな人と交換したロックバンドのTシャツを一枚の巨大な幕に縫い合わせたインスタレーションだ。Tシャツの幕の裏には二四台のスピーカーがある。

〈私たちは、トリエンナーレのスタッフと検閲された芸術作品に対する暴力を扇動するような脅迫行為を断固として認めません。「表現の不自由展・その後」の展示が再開され、当初予定されていた通りトリエンナーレ閉会時まで継続されるべきだと主張します。私たちは検閲されたアーティストたちとの連帯を公に示すための身ぶりとして、「表現の不自由展・その後」が観客に閉ざされている限り、トリエンナーレに展示している自らの作品展示を一時的に停止するよう、運営側に要求します。表現の自由は重要なのです〉

カミル氏は、八月一二日に米美術誌『ARTnews』サイトで公開された「表現の自由を守る」とのタイトルの書簡（オープンレター）に署名した一人。抗議の意味を込めて、幕の下の部分をたくし上げて、スピーカーは来場者から見えるように変更し、音を出すのをやめた。

書簡には海外の作家一二人と国内作家一人、あいトリのキュレーターでもあるペドロ・レイエス氏（メキシコ）が署名した。書簡のなかで目を引いた主張は、政治家の発言を「表現の自由への攻撃」と批判した点だ。▽河村たかし名古屋市長による「表現の自由展（ママ）・その後」の展示中止を求める不適切な発言、▽菅義偉官房長官による文化庁からの補助金の見直しを示唆した威嚇ともとれるコメント――を上げた。

あいちトリエンナーレでは、「表現の不自由展」の展示が中止されただけでなく、カミル氏をはじめ多くの作家が作品の一部の展示内容を変更したり、展示会場を閉鎖するなどその人数は、一四組の作家に上った。国際現代美術展に参加する六六組の実に二〇%を占める事態に発展した。

それは次の作家たちである（敬称略）。

【展示室の閉鎖・辞退・中止】
▽タニア・ブルゲラ（キューバ）＝「10150051」（日々、増え続ける難民の数を示す八けたの数字を手にスタンプして入室すると、涙を誘発する成分を含む蒸気に満たされた白壁の部屋で、入室者は壁に書かれた八けたの数字と向き合うという参加型の作品）
▽ハビエル・テジェス（ベネズエラ）＝「歩行者」

▽パク・チャンキョン（韓国）＝「チャイルド・ソルジャー」
▽イム・ミヌク（韓国）＝「ニュースの終焉」
▽キャンディス・ブレイツ（南アフリカ）＝「ラヴ・ストーリー」（平日のみ閉鎖）
▽CIR＝調査報道センター（米国）＝「ボックス：独房のティーンエイジャーたち」など
▽藤井光（日本）＝「無情」
【展示内容の変更・再設定】
▽ピア・カミル（メキシコ）＝「ステージの幕」
▽クラウディア・マルティネス・ガライ（ペルー）＝「…でも、あなたは私のものと一緒にいられる…」「あなたを生き継ぐ」
▽レジーナ・ホセ・ガリンド（グアテマラ）＝「LA FIESTA #latinosinjapan」
▽ドラ・ガルシア（スペイン）＝「ロミオ」（ポスターの上に書簡を貼り付けた）
▽モニカ・メイヤー（メキシコ）＝「The Clothesline」
▽レニエール・レイバ・ノボ（キューバ）＝「革命は抽象である」（巨大な鎌とハンマーのモニュメントは黒いビニールのゴミ袋で覆い、コンクリート製の抽象画は、表現の不自由展の中止を報じる新聞紙で包んだ）
▽田中功起（日本）＝「抽象・家族」（展示室の入り口扉を半分だけ閉ざした。展示室内には

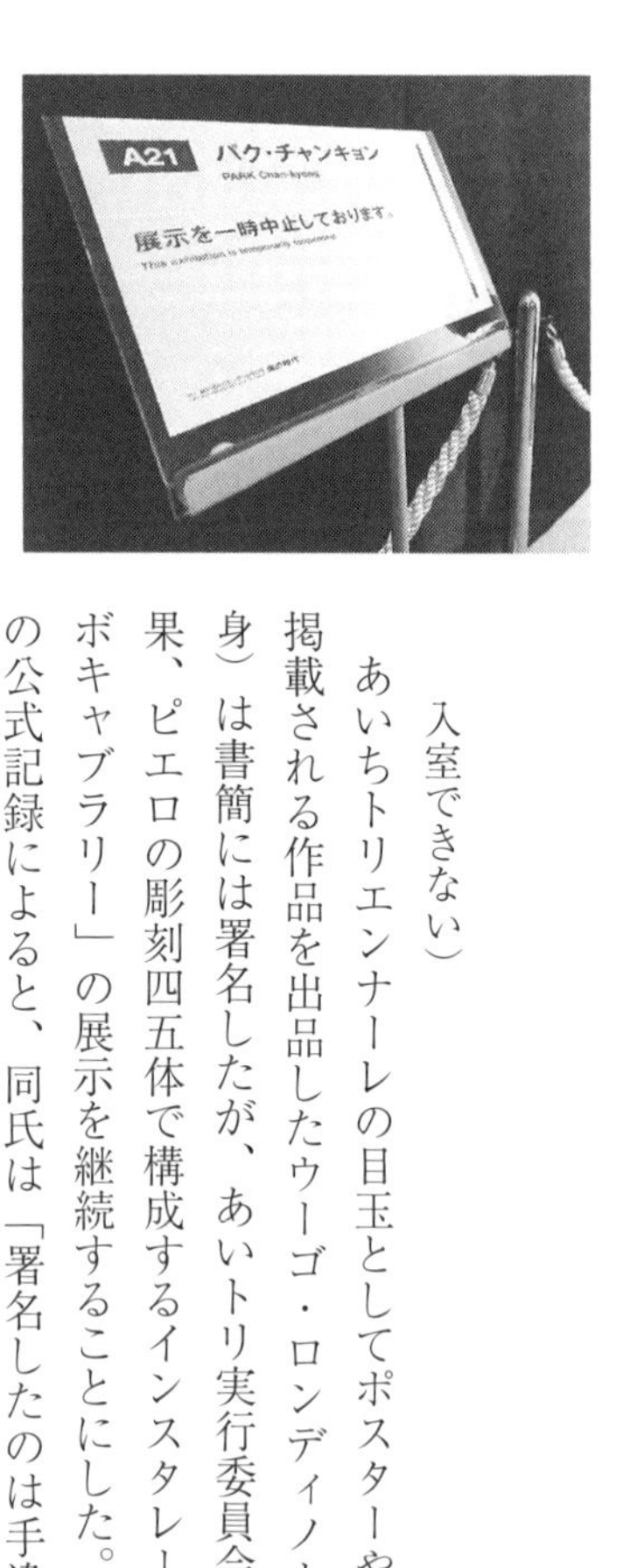

入室できない）

あいちトリエンナーレの目玉としてポスターやパンフレットに掲載される作品を出品したウーゴ・ロンディノーネ氏（スイス出身）は書簡には署名したが、あいトリ実行委員会側との協議の結果、ピエロの彫刻四五体で構成するインスタレーション「孤独のボキャブラリー」の展示を継続することにした。ただ、あいトリの公式記録によると、同氏は「署名したのは手違いによるもの」とあいトリ実行委員会に説明したという。

こうした中で、「表現の自由を守る」とした書簡を作品や、展示室の入り口付近に掲示する作家のほか、「表現の不自由展」の中止についての自身の考えを言葉にして発表している作家もいる。

パク・チャンキョン氏は、少年兵（作品名は「チャイルド・ソルジャー」）を題材にした映像作品を出展した。パク氏は「アーティストとして、表現の自由を守ることは私の根本的な義務です。ある作品の好き嫌いに関わらず、作品はいかなる種類の権力、弾圧政治、もしくは脅迫によっても検閲されてはなりません。私は表現の自由が完全に保証されたどこかの時と場所で、将来別の機会があることを願っています」と書いた。パク氏とともにいちはやく展示室の閉鎖を表明したイム・ミヌク氏。「検閲は、違法な行為です。にも関わらず、『表現の不自由展・その後』は撤去されてしまいました。私はこの決定に抗議の意を込めて、私の作品が見られる機会を自ら剥奪します」。

米の非営利報道機関「ＣＩＲ」（調査報道センター）は映像作品を出品していたが、辞退を申し入れ、八月一〇日に展示室は閉鎖された。ＣＩＲは「報道機関にとって表現の自由はその使命の核にあるもので、展示会への参加は表現の自由という価値と衝突しかねない立場になるためです」との見解を張り出した。

「検閲された仲間のそばに」

フェミニストアートの先駆者として知られるモニカ・メイヤー氏は、「沈黙の Clothesline」と題したメッセージを会場に貼り付けた。

メイヤー氏の作品「The Clothesline」は、鮮やかなピンクが目を引く空間だ。「女性として差別されていると感じたことはありますか？　それはどのようなものですか？」との問い掛けに対して、回答した紙製のカードを掲示板に備えられたロープに洗濯ばさみで挟み、読むこともできるし、来場者は回答を投稿することもできる。一九七八年に始めた参加型のプロジェクトだった。

〈《The Clothesline》は「表現の不自由展・その後」が再び開かれるまで、沈黙を続けます。今後、質問カードの回答が受け付けられることはなく、また、すでに集まっている回答は片付けられました。

「あいちトリエンナーレ2019」の一部であるこの展示は、テロの脅威と脅迫によって閉ざされました。トリエンナーレの参加者として、人々が彼らの体験を共有し声を上げるための場所を開くアーティストとして、私は、作品が検閲されている仲間のそばにいます。そしてこの困難な状況に直面しているトリエンナーレで働く人々と連帯します〉

カードは取り外され、破られた未記入のカードが床一面にちりばめられた。

「この作品は、展示が閉鎖されてしまったアーティストたちとの連帯を示すため、またあいちトリエンナーレのスタッフや参加アーティストたちにかけられた政治的圧力に抵抗するため、一時的に展示を中止しています。十分な安全対策が取られ、全ての展示会場が観客のために再開された際には、この作品も再び展示されます」――。ペルーの植民地の歴史に関心を寄せるクラウディア・マルティネス・ガライ氏が掲示したメッセージだ。同氏の作品は、映像作品と、トウモロコシ、人間の手足といった陶製の小さなオブジェなどを展示した空間で構成され、上映を中止するとともに展示室の照明も落とした。

一方、愛知芸術文化センターの八階にある「表現の不自由展・その後」の展示室は展示中止が決まった翌八月四日朝、高さ三メートルほどの壁で閉ざされてしまった。

扉開けたメッセージカード

しかし、入り口付近の壁は九月に入ると一変した。不自由展の再開を支持する来場者の声で埋め尽くされたのだ。

ホンマエリ氏も加わる「ReFreedom＿Aichi」のメンバーが、来場者にメッセージを呼び掛けたプロジェクト「#YOurFreedom」。

「あなたは自由を奪われたことはありますか？　それはどんなものでしたか？」「あなたが日常の中で見つけた差別や偏見、我慢や諦めを強いられた具体的なエピソードを教えて下さい」――。

来場者は赤、ピンク、薄紫といった色鮮やかなカードに自分の思いをその場で書き込んでいった。若い人もお年寄りも。男も女もLGBTQの人たちも。日本語も韓国語も英語も。寄せられたカードは二五〇〇枚にも上ったという。

▽在日コリアンだという理由で人生ずっと詰んでる、▽人間が人間らしくあるためのテー

すべての展示が再開となり、喜びを語るホンマエリ氏（中央）ら「ReFreedom_Aichi」のメンバー＝2019年10月9日、名古屋市西区の「サナトリウム」で

マが「なんとなく」忌避される空気。芸術の基本が侵害されていると感じます、▽母親に髪の毛をいつも短くさせられていた。気に入らないものをNOにしない多様性をうけいれよう、▽女は男のために生きていない。女の人生は女のものだ。

九月一二日に始まったこのプロジェクトによって、表現の不自由展の展示室につながる壁は一種のアート空間に生まれ変わっていた。一〇月六日、不自由展の再開に伴って役割を終えた。

ホンマ氏は一〇月九日に「ReFreedom_Aichi」の仲間と開いた記者会見でこう述べていた。

「全部の展示が再開した美術館って超美しかった。本当に生き返ったみたいな。この瞬間、（「ReFreedom_Aichi」の活動を）やってて良かったと思いましたね」

こうした他の作家による連帯の動きについて「平和の少女像」を制作した金運成氏は一〇月九日の記者会見で次のように謝意を表明した。「表現の自由が侵害される、または検閲をされるということは、作家たちにとっては生きることを阻まれているのと同じ。他の作家の作品がそういう状況にあるとき、共感し、共闘することができる作家たちの気持ちを大変すばらしく思う」。一方、ボイコットせず抗議声明などにとどまった作家に対しても、気遣いを忘れなかった。「もしその方々がすべてボイコットしていたら、この芸術祭自体の運営が難しくなってしまった。強い気持ちで展示を続けてくださったことで、今回の再開へのきっかけになったと思う」

2 中止に抗議して内容を変更・展示中止した作品

ピア・カミル（メキシコ）＝「ステージの幕」

タニア・ブルゲラ（キューバ）＝「10150051」

左：ハビエル・テジェス（ベネズエラ）＝「歩行者」
下：イム・ミヌク（韓国）＝「ニュースの終焉」

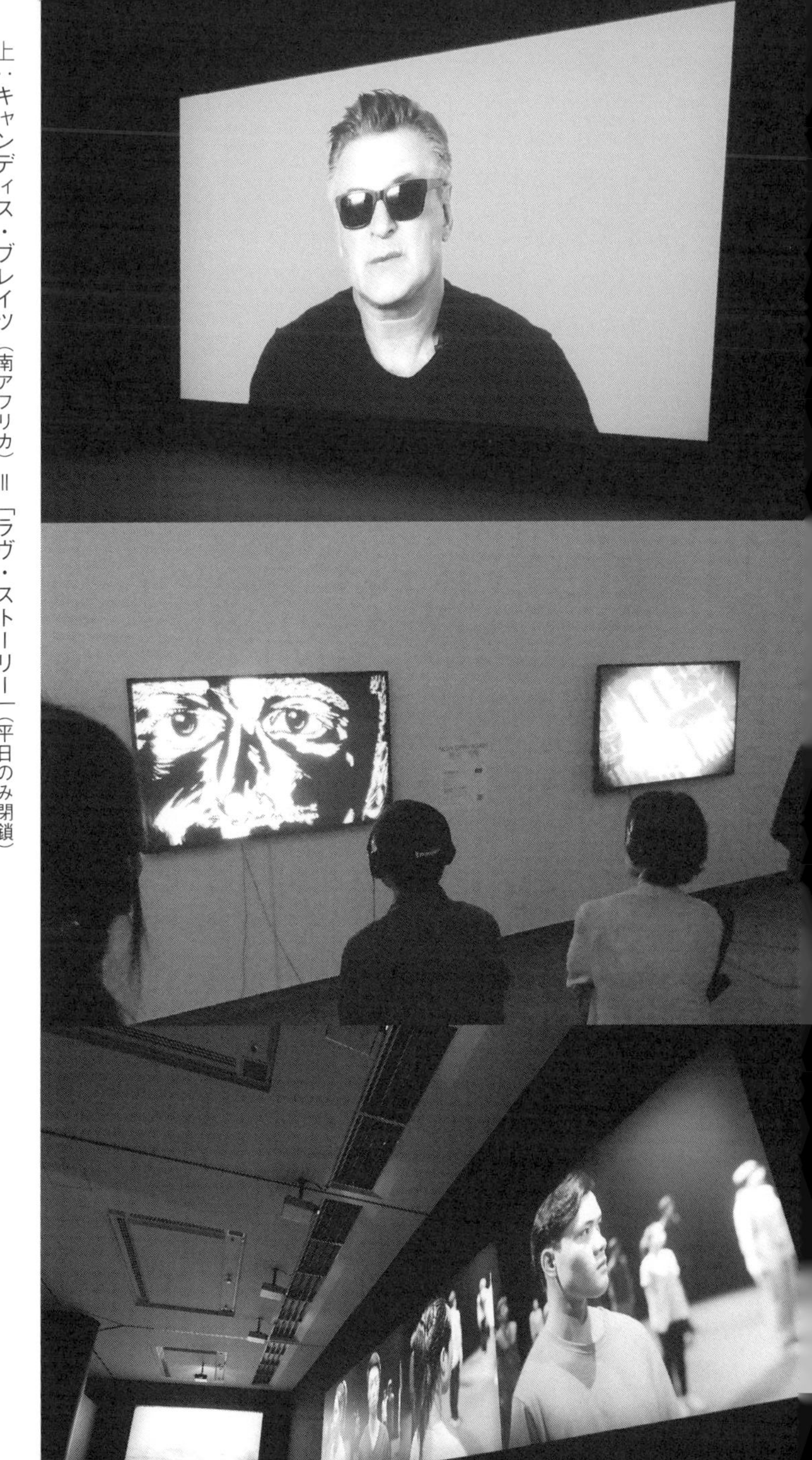

上：キャンディス・ブレイツ（南アフリカ）＝「ラヴ・ストーリー」（平日のみ閉鎖）
中：CIR＝調査報道センター（米国）
下：藤井光（日本）＝「無情」

上：クラウディア・マルティネス・ガライ（ペルー）＝「…でも、あなたは私のものと一緒にいられる…」
左：レジーナ・ホセ・ガリンド（グアテマラ）＝「LA FIESTA #latinosinjapan」
左上：ドラ・ガルシア（スペイン）＝「ロミオ」（ポスターの上に書簡を貼り付けた）

THE ROMEOS
ロミオ

ニカ・メイヤー（メキシコ）＝「The Clothesline」

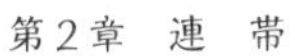
第2章　連　帯

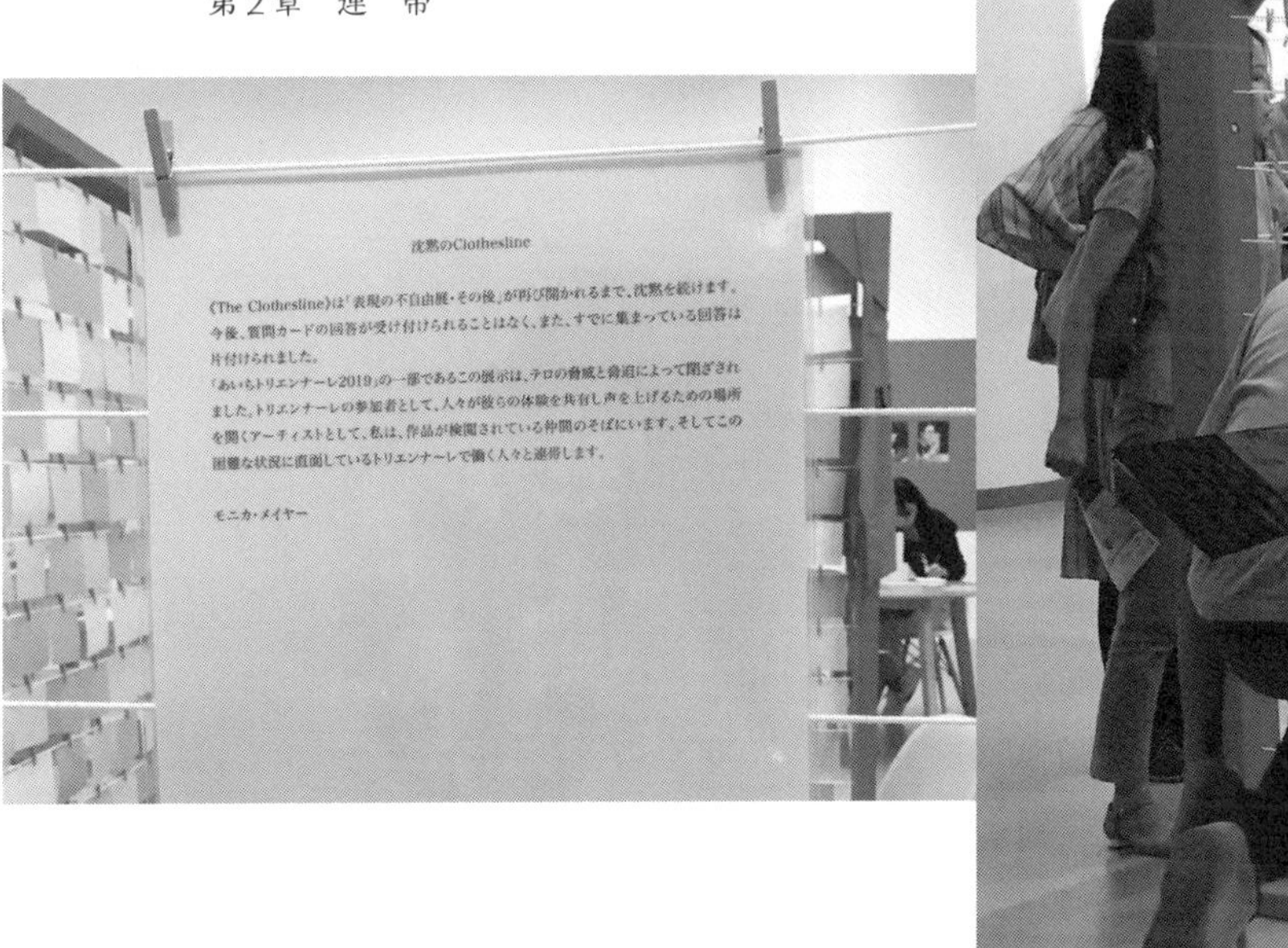
沈黙のClothesline
《The Clothesline》は「表現の不自由展・その後」が再び開かれるまで、沈黙を続けます。
今後、質問カードの回答が受け付けられることはなく、また、すでに集まっている回答は
片付けられました。
「あいちトリエンナーレ2019」の一部であるこの展示は、テロの脅威と脅迫によって閉ざされ
ました。トリエンナーレの参加者として、人々が彼らの体験を共有し声を上げるための場所
を開くアーティストとして、私は、作品が検閲されている仲間のそばにいます。そしてこの
困難な状況に直面しているトリエンナーレで働く人々と連帯します。
モニカ・メイヤー

レニエール・レイバ・ノボ（キューバ）＝「革命は抽象である」（巨大な鎌とハンマーのモニュメントは黒いビニールのゴミ袋で覆い、コンクリート製の抽象画は、表現の不自由展の中止を報じる新聞紙で包んだ）

新聞
8月4日
表現の不自由展 中止
テロ予告・脅迫相次ぐ
津田芸術監督「断腸の思い」
許されない脅迫 考える場奪った
8月6日 日記は途絶えた
マルヤナギ
GLOBE
日米貿易交渉「頂上見えた」
韓国反発 ドラえもん上映延期
「オープンカーで観光」売り
京アニ愛 つなぐ絆
競泳 萩野が復帰戦3位
今の私 つくった出会い
京アニ犠牲10人公表

田中功起（日本）＝「抽象・家族」（展示室の入り口扉を半分だけ閉ざした。展示室内には入室できない）

第2章　連　帯

ウーゴ・ロンディノーネ（スイス）＝「孤独のボキャブラリー」

3　小泉明郎氏に聞く

「プロパガンダじゃない」

「あいちトリエンナーレ２０１９」（あいトリ）の企画展「表現の不自由展・その後」に出品し、再開を求めて熱く語ってきた一人が現代美術家の小泉明郎氏だ。小泉氏は不自由展だけでなく、あいトリの本展にも参加した。不自由展に出品したのは、皇室カレンダーをモチーフにした絵画作品「空気＃１」（二四〇頁参照）。二〇一六年に東京都現代美術館で開かれた展覧会に出品予定だったが、「多くの人が持つ宗教的な畏敬の念を侮辱する可能性」などと同館が懸念し、展示できなかった作品だ。

一方、本展では、バーチャルリアリティー（ＶＲ、仮想現実）技術を使い、「他者」の感覚や感情を追体験しようという演劇作品「縛られたプロメテウス」を上演し、好評を博した。

小泉明郎氏＝ 2019 年 9 月 10 日、日本外国特派員協会で

国家や共同体と個人との関係をテーマに多くの作品を作ってきた。国家とは何か、どうして国家はあるのか。当然のように存在しているようで、その理由をしっかり説明できる人は少ない。小泉氏の目にはどのように映っているのだろうか。

「果たしてどういうことなんだろう、というものにしっかり向き合っていくのがアーティストなので、国家というものは何だろうと思いながら、作品を作っています。その中で、天皇というものが避けて通れない問題だと思っていたので、天皇、天皇制についての作品を作ってきました」

不自由展で憎悪の標的となった大浦信行氏の作品と同じように、天皇のイメージを使ったコラージュ作品も多い。

「空気#1」を制作したきっかけとなったエピソードについて、不自由展中止を受けて愛知県が設置した「あいトリのあり方検証委員会」が九月二一日に開いたフォーラムで小泉氏は次のようなエピソードを紹介した。

クリスチャンで天皇のことがずっと嫌いだと思っていた小泉氏の父親があるとき、天皇のコラージュ作品を見て顔を曇らせたことがあった。その日は無言で去った父親から後日、「あれは何なんだ」と問われた。

「天皇嫌い」を自認してきた父親は、天皇の作品を見て傷ついた自分にショックを受けていたという。

「天皇制とか天皇っていうのは、意識的に排除できるとか、自分でコントロールできるものではなく、無意識に働きかけるもの。だからこそ、昔からずっと強力なシステムとして生きてきたんだと思う」

そんな天皇制を話題にすることをタブー視する社会の空気を表現しようと制作したという作品。皇室カレンダーのイメージをキャンバスにプリントし、写っていた皇室のメンバー一人ひとりを、その背景を描き込むことで消していく作業を重ね、完成させた。

不自由展を中止に追い込んだ抗議の理由の一つに、展示作品が「プロパガンダ」（主義・思想の宣伝）だというものがあった。

小泉氏は自身の作品について、天皇を消して「不敬」であるという側面があったり、「霊的」「宗教的」な姿に描き替えているという解釈も可能であったり、と多義性を持っていることを例に挙げて、「美術作品というのはプロパガンダじゃないんですよ」と強調した。

「美術作品というのは一つの解釈や一つだけのメッセージで何かを伝えるようなプロパガンダではなくて、さまざまな解釈を可能にするためのもの。我々作家は、さまざまな言葉を言えるように作品を作らなきゃいけないんです」

ところが、東京都現代美術館での出品断念に続き、不自由展の中止で再び、作品が多くの人の目に触れる機会を失ってしまった。自作と同じように、公立美術館で展示を中止されるなど不遇をかこった作品が集まる不自由展について、小泉氏はこう語った。

「個人の矛盾だったり、社会の矛盾だったり、芸術家が向き合った結果があそこに置かれています。それぞれの作品が、検閲されたり、排除されたりという歴史を持っています。よく見ると、作品がどう排除されたかが分かるような仕組みになっています」

あいトリ検証委から、不自由展のキュレーションが厳しく批判されていることを踏まえ、次のように続けた。

「僕は個人的にはすごく良くできた展示だと思っています。それぞれの作品にどういう（展示中止の）線引きが下されていったか、その線引きに触れられる非常に貴重な空間があそこにあります」

会場に足を運ぶことなく、インターネット上の情報だけを見聞きして批判している多くの人たちにもメッセージを送った。

「ぜひ（不自由展の）空間に行って、それぞれの作品を体験してほしい。それなしに批評はない。見た後に、いくら批評していただいても結構。みんなが意見を言える美術館であってほしい」

小泉氏を含むあいトリ参加作家が、東京・丸の内の日本外国特派員協会で、不自由展を含むすべての展示の再開を実現することを目的としたプロジェクト「ReFreedom＿Aichi」の旗揚げを発表したのは、閉幕まで残り一カ月余りとなった九月一〇日のこと。当時、不自由展中止に抗議する海外作家を中心に、展示室を閉鎖したり展示内容を変更したりする動きが広がっていた。会見で小泉氏は訴えた。

「『表現の自由』っていうのはもちろん、『言論の自由』とつながっています。ということは、私たちの『知る権利』にも直結しています。一人ひとりの人間が、自分の人生を自分で決める自由にも直結しています。あいちトリエンナーレで起こっていることは、この自由の根源が崩壊するのか、それとも今ここで我々が食い止めるのか。その分岐点にあると思っています」

自主性奪った指定管理者制度

小泉氏は、神風特別攻撃隊（特攻隊）をテーマにした「若き侍の肖像」（二〇〇九年）や靖国神社を取り上げた「夢の儀礼―帝国は今日も歌う―」（一六年）など、太平洋戦争や天皇制をめぐる映像作品を多く手掛けてきた。

キュレーター（学芸員）に声をかけられて国内外で本格的に作品を発表するようになった

補助金不交付の撤回を求めた10万筆を越える署名を文化庁に持ち込む小泉明郎氏（中央）ら＝2019年11月8日、東京・霞ヶ関で

一〇年ほど前から、自分の作品やアイデアが受け入れられないような雰囲気を感じてきた。

新しい作品の制作についてキュレーターと相談している際、さまざまな理由をつけられて自分のアイデアが消されていく。「政治的だからダメです」とは言われないで、常に理由がずらされる。まだ作品が形になっていない状態なので「検閲」とは言えないが、「自主規制」を促される。

それは例えば、植民地時代の日本の加害の歴史を東南アジアの会場で扱いたい、というときに経験した。現代美術の潮流を考えれば、為政者側の「大文字」の歴史で排除されてきた民衆側の「小文字」の歴史、抑圧されてきた人々の語りを美術で可視化させるというのは、世界各地で行なわれていることだ。

ところが、海外で催される日本の文化事業の元締めになっている独立行政法人「国際交流基金」の事業では、「加害の歴史は扱えない」（小泉氏）という。所管する外務省やその背後にいる保守系政治家の意向にしばられたり、忖度したりしてしまうからだという。

小泉純一郎政権が推し進めた構造改革で公立美術館に導入された民間に運営を委託する指定管理者制度が、キュレーターの自律性を奪っている現場も見てきた。美術館をめぐる権力構造が複雑化して様々な忖度が働き、「どこで誰が判断しているか全く見えない状況」（小泉氏）になってしまったからだ。

「未来の鑑賞者も含め芸術的に価値があるかどうか、キュレーターが自律的な判断をしてプロジェクトや展覧会が行なわれるのが理想で大前提だと思っていたが、もっとより強い政治的な力によって左右されているんだなと感じた」

息苦しさはエスカレートしていく。小泉氏は一五年ごろ、ある公立美術館のキュレーターから「作品に血があるだけで嫌がられる」と聞かされて驚いたことがあった。区画を分ける「ゾーニング」などの展示上の配慮が必要かどうか、検討せざるを得なくなったというのだ。

「原発事故があって、石原（慎太郎）都政で東京オリンピックの誘致（再挑戦が始まり）、安倍政権（第二次）が始まって、という中で、あからさまにいろんなことができなくなっている、きしみ出している、と感じたのが一四年とか一五年のことです」

そんな状況の中で、表現の世界で起きている「自主規制」について考えてもらおうと、小泉氏が参加する作家らの組織「アーティスツ・ギルド」と東京都現代美術館が一六年に協働して企画したのが「キセイノセイキ」展だった。

皮肉なことに、この企画展に出品しようとした皇室をモチーフにした作品「空気」が、先に述べたような理由で展示できなくなってしまった。小泉氏は展示される予定だった会場の壁に光を当てて作品の「不在」を来場者に伝え、近所のギャラリーで作品を展示した。その後も、仲間のアーティストやキュレーターと私設ギャラリーを舞台にさまざまな試みを行なってきた。

だからこそ、「あいちトリエンナーレ2019」の芸術監督に、ジャーナリストの津田大介氏が就任したとき、「萎縮モードの美術業界で、結構攻めた内容になるのではないか」と期待を寄せた。

さらに、「表現の不自由展・その後」の企画を津田氏から聞かされたとき、「キセイノセイキ展のこともあったし、我々の美術の世界の常識で考えたら、（この企画は）通らないだろうと思った」という。

予想を覆し、不自由展は実現した。「我々の力が足りなかったんだと感じた。津田氏のように発信力を持てば可能なんだなと。でも、すごい摩擦が起こるだろうなということは予測していた」

日本人作家への風当りも強く

不自由展は三日間で中止に追い込まれた。危機的な状況に置かれたとき、どんなことが起こるのか、小泉氏はキセイノセイキ展で体験済みだった。当事者同士がぶつかり、本当の敵を見失ってしまう。

展示室を閉鎖したり展示内容を変更したりするボイコットで抗議の意を表した海外作家から、日本人作家への風当たりが強くなっていた。小泉氏は、メールなどで海外作家とのコミュニケーションを密にし、対立する形となってしまった津田氏、不自由展実行委員会メンバーと等距離で付き合うよう努めた。

「最終的に展示再開を実現しなければ我々の負けなんだから、それを実現するために、やれることはすべてやります、というスタンスだった」

不自由展を含むすべての展示を再開することを目指したプロジェクト「ＲｅＦｒｅｅｄｏ

m―Aichi」を立ち上げたとき、「既に再開を信じていた」という。

名古屋市西区の円頓寺本町商店街に近い空き店舗に有識者を招き、アーティストや市民らが議論を繰り広げた「サナトリウム」、アーティストが自ら市民の電話を受ける「Jアート・コールセンター」。ReFreedom―Aichiはユニークなプログラムを展開し、再開の機運を盛り上げた。

一方、不自由展実行委員会は再開を求めて名古屋地裁に仮処分申請を行ない九月三〇日、和解に持ち込んで再開を確たるものにした。小泉氏は「法的にどう闘っていくか、すごく勉強になった」と評価する。

群馬県のクリスチャンの家庭に育った小泉氏は、イエス・キリストという絶対的な価値観に疑問や反発を感じたことが表現活動を始めるきっかけになったという。一九九九年に国際基督教大学教養学部を卒業すると、英・ロンドンの芸術大学で学んだ。

家庭から離れることでキリスト教から逃れられても、国民国家や資本主義という価値観からは逃れられない。日本という国家を考えていくうえで、天皇の存在は避けて通れなかった。

「東京に帰って来れば、あんな大きな（皇居の）敷地がドーンとあって、その周りを（地下鉄などで）毎日ぐるぐる回らされて。それでも、誰も問題視しないし、かえって最近は良いものと人々がとらえている。絶対的に危険な権力装置になりうるという歴史も忘れ去られてしまっている状況は問題だと思う」

天皇制を扱った作品は自然と多くなった。二〇二〇年一月、小泉氏は新鋭作家を助成する「第三〇回タカシマヤ美術賞」を受賞した。これからどこへ向かっていくのか。

「時代が変わって、テクノロジーが変わって、できることも変わってくる。それで何ができるかっていう可能性をまだ誰も知らない。社会批判もできるし、権威を表現することもできる。言語で表現するのとは違い、それは面白いし、利用されたら危険にもなりうるし。そういうことが好きだし、探求していきたい」

小泉氏は二一年と二二年に大阪、東京、京都、名古屋などで開かれた「表現の不自由展」にも、皇室をモチーフにした連作「空気」の最新作を出品するなどタブーへの挑戦を続けている。

新作は、靖国神社の前に立つ明仁少年（現在の上皇）の写真をキャンバスにプリントし、少年を透明化したり、昭和天皇の戦後の全国巡行や、上皇が天皇だった時に起きた阪神・淡路大震災の被災地訪問の報道写真をキャンバスにプリントして天皇、皇后を透明化したものだ。どの不自由展の会場でも来場者が謎解きをするかのように見入っている姿が印象的だった。

第３章

補助金不交付

「あいトリ 2019」への補助金不交付決定の撤回を求める署名は 10 万筆を超えた。この日、文化庁への提出のため大勢の人が同庁前に集まった＝ 2019 年 11 月 8 日、東京・霞が関で

1　文化庁

宮田長官「私の権限では……」

「あいちトリエンナーレ２０１９」（あいトリ）の企画展「表現の不自由展・その後」の開催が中止になった問題は、国の歪んだ文化行政を浮かび上がらせることにもなった。

菅義偉官房長官は二〇一九年八月二日の記者会見で「補助金交付に当たっては、事実関係を確認、精査した上で適切に対応していきたい」と述べ、交付の可否に含みを持たせた。あいトリ実行委員会会長の大村秀章・愛知県知事が「不自由展再開を目指したい」と表明した翌九月二六日には、文化庁が、既に採択していた「あいトリ」への補助金七八二九万円を交付しない、という異例の決定をしてしまった。補助金交付は文化庁の所管で本来なら、宮田亮平・文化庁長官が説明すべき案件だ。ところがその宮田長官に代わって記者に説明したの

10万人署名の提出を見守るため東京・霞が関の文化庁前に集まった人たち＝2019年11月8日

は、内閣改造により就任したばかりの安倍晋三首相の側近、萩生田光一・文部科学相だった。「補助金については審査の結果、交付をしないことを決定した」「愛知県では、会場が混乱するんじゃないかということで警察当局とも相談していたらしいが、そういう内容は来なかった」。萩生田氏は申請内容の不備をそう指摘した。「（憲法二一条が禁止する）検閲に当たるのでは」という記者からの質問には、「（展示の）中身について文化庁はまったく関与していません。検閲には当たらないと思います」と否定したのだった。

異例の取り消し決定には「伏線」があった。「あいトリ」開幕前日の七月三一日、オープニングレセプションで挨拶の予定だった文化庁の担当職員（課長級）が急きょ、欠席している。「第1章」で触れたがこの日の朝日・中日（東京）新聞の朝刊には、「慰安婦」を象徴した「平和の少女像」が展示されることを報じていた。担当職員は八月二日の柴山昌彦・文部科学大臣の記者会見の際、「新聞記事で内容を知り、その対応を中心に業務があったので取りやめた」と釈明した。すでに展示内容を問題視する動きが始まっていた。

宮田長官自身は、不交付決定をどう受け止めているのか。筆者（井澤）は『サンデー毎日』二〇一九年一〇月二〇日号（毎日新聞出版）で「表現の不自由展再開へ　あいちトリエンナーレ補助金不交付　文科省の消えない罪」という記事を編集部の記者との連名で寄稿した。この記事では記者が宮田長官を直撃したときの一問一答を次のように掲載した。

◇　◇

宮田長官はこの事態をどう考えるのか。その真意をうかがおうと、三日、都内で直撃した。

——長官に期待する声は大きい。

ちょっと軽々なことは言えないので。

——文化庁が文化を滅ぼすのかという意見もある。

それはありません。文化は大事です。

——文化庁がおざなりにされているのか。

文化は永遠に大事です。それは私が芸術家としても。

——芸術家として……。

そこを大切に一生懸命、頑張っております。

——交付停止の決定だが。

そこは誤解があるといけないのでここまで。すみません。

——不自由展が再開されたら、交付停止を見直すのか。

それは、私の権限では……。ただ本当に、芸術家として文化を大事にしたい気持ちは変わりませんので。僕も一生懸命、頑張ります。

◇　◇

「私の権限では……」。そう口ごもる宮田長官の話しぶりからは、取り消しが官邸主導だったことを改めてうかがわせた。あいトリ閉幕の翌日、一〇月一五日には、宮田長官自身の口から驚きの発言が飛び出した。参議院予算委員会で「私は、(補助金不交付の)決裁はしておりません」と答弁したのだ。福山哲郎委員(立憲民主)が、補助金不交付について、宮田長官がいつ決裁したのかを尋ねたのに答えたものだ。

不自由展が再開に漕ぎ着けたことを指摘し、補助金不交付の撤回を検討するよう迫る福山氏に対して宮田長官は、「表現の自由は極めて重要であります。今後とも大変大切であると思っております」と述べたうえで、事務方が用意した答弁を読み上げた。

「今回の補助金の不交付の理由は、企画展の中止や再開にかかわらず、補助金申請者の展覧会の開催に当たり、展覧、展示会場の安全や事業の円滑な運営を脅かすような重大な事実について認識していました。それらの事実について文化庁に全く申請しなかったということによります。それによって、不交付決定を見直す必要はないと考えました」

萩生田氏が説明したのと同様に、不自由展の展示内容ではなく、「手続きの不備」、つまり不自由展に対して抗議が起こることが予想されたのに、事前に文化庁に知らせていなかったのが不交付の理由だと繰り返した。福山委員は再考を迫った。

「何が起こるかなんて予想不可能です。その中でも愛知県は頑張っていろんなことをやっておられた。結果として脅迫や電凸が出てきた。それに屈して補助金まで不交付にする。そんなことしたら、全国で気に食わないものがあったらテロや脅迫をしたら、みんなあれ（中止）ですよ」

宮田長官は、東京藝術大学の前学長で、古里の新潟県・佐渡島に渡るフェリーから見たイルカをモチーフにした金工作品で知られる「芸術家」のはずだ。九月二六日の不交付決定を受け、翌二七日に教員、学生、芸術家ら三〇〇人近くが東京藝大前に集まって開いた抗議集会では、「文化庁は文化を殺すな」と訴える傍らに、「宮田長官頑張れ!!」と書かれた紙も貼られた。芸術家である長官への期待を反映したものだったが、それもあっけなく裏切られた。

しかも、不交付を決めた際、文化庁は議事録を作成していなかったことが、本村伸子衆議院議員（共産）の質問に対する同庁の三木忠一参事官（文化創造担当）の文書回答で判明。さらに、あいトリの補助金採択に当たった審査委員会にも諮らずに不交付が決められたことも分かった。

審査委員会委員を務めていた野田邦弘・鳥取大学特命教授（文化政策）は一〇月二日、抗議の意を込めて文化庁に辞意を伝えた。

野田氏は憤る。

「四月に審査委員会が開かれ、あいトリはＯＫとなった。お金出すよって言ってて、やっぱりやめたっていう話で、こんな後出しジャンケンが通用するなら、審査委員会はいらない。そのようなやり方が定着して拡大することが恐ろしい」

安倍政権による補助金不交付決定と軌を一にするかのように「表現の自由」を脅かす問題が噴出した。文化庁所管の独立行政法人・日本芸術文化振興会（芸文振）が九月二七日、「公益性の観点から不適当と認められる場合」に、助成の内定や交付決定を取り消すことができるよう要綱を改正したのだ。

きっかけになったのは映画「宮本から君へ」。出演したピエール瀧氏が麻薬取締法違反で有罪判決を受けたことを理由に、内定していた助成を取り消す過程で検討が進んだという。野田氏は自民党の改憲草案に「公益」という言葉が多用されていることを指摘し、こう警告する。「芸文振の改正で『公益』を先取りしたのではないか。文化庁の事業全体に波及して、合法化されるということにつながりかねない」。

川崎市で開かれた「ＫＡＷＡＳＡＫＩしんゆり映画祭２０１９」では、「慰安婦」問題を扱ったドキュメンタリー映画「主戦場」の上映が中止になった（最終日に上映）。出演者の一部が上映禁止などを求める訴訟を起こしたことを受け、共催する川崎市が主催者のＮＰＯ（特定非営利活動）法人に懸念を伝えたことが理由とされた。三重県伊勢市の「市美術展覧会」では、「慰安婦」を象徴した「平和の少女像」の写真をコラージュした作品展示が不許可となった。鈴木健一伊勢市長は「安全を最優先した」と説明した。広島県は二〇年一月、二〇年秋に初めて開催する予定の「ひろしまトリエンナーレ2020 in BINGO」について、外部委員会を作り、展示内容を事前に確認する方針を表明した。これに対して、総合ディレクターの中尾浩治氏が抗議して辞任する騒動が起こった。県は新型コロナウイルス感染拡大を理由に、開催自体を中止してしまった。

国内外に余波

余波は国内にとどまらなかった。

オーストリアのウィーンで開かれた展覧会「ジャパン・アンリミテッド」について、在オーストリア日本大使館は二〇一九年一〇月三〇日付で、両国の友好一五〇周年事業の認定を取り消した。

参加作家の一人、会田誠氏が日本の首相に扮して戦争責任を謝罪したりする映像や東京電力・福島第一原発事故を題材にした作品に対し、自民党議員から外務省に「問い合わせ」があったという。不自由展に参加したChim↑Pomも出品していた。

ReFreedom―Aichiの藤井光氏は「トリエンナーレ以降、何が変わったかというと、権力を持つ政治家が作品を沈黙させる、排除するということを公に言えるようになった。作品そのものを見たのではなく、作品を見る前にそれを切り取り、二次ソースで作品を判断している」と警戒を強める。

一連の動きへの危機感もあったのだろう。ＲｅＦｒｅｅｄｏｍが呼びかけた補助金不交付撤回を求めるネット署名は一〇万筆を超えた。

一一月八日には、小泉明郎氏らが署名を提出しようと文化庁を訪れたが、事前に求めていた宮田長官への面会がかなわなかったことなどから、提出を取りやめた。小泉氏は文化庁前の抗議集会で訴えた。

「文化、芸術、表現の自由がなぜ必要か、皆で言葉を尽くしていかなければいけない。私の作品は、天皇を扱ったり、見て不快なものが多い。でもずっと作り続けている。なぜかというと、芸術というのは個に向かう。自分の心を掘り下げたときに、きれいな自分と汚い自分がいる。芸術にできるのは、その人間の姿を形にしていくこと。自分の攻撃性とか暴力性にもスポットライトを当てていかなければならない。すばらしい文学、芸術、映画は、人間の善だけではない、悪をも表現するんです」

直後に文部科学省で開かれた記者会見では、作家だけでなく、芸術、舞台、文化政策や美術評論などの関係者が危機感を露わにした。

日本文化政策学会会長を務める熊倉純子・東京藝大学大学院教授（アートマネージメント・文化政策）は補助金不交付決定について「日本の文化行政にとって大きな後退の一歩。文化を作る現場と政府との間に大きな不信感を招く」と指摘。さらに、「今回、さまざまな方々が声を挙げているが、既に国の方から圧力とも受け取られかねないようなことを言われたと聞いている」と明らかにし、「文化の現場が委縮してしまうことを強く懸念する」と強調した。

東京藝大での抗議集会や教員有志の抗議声明への参加を呼びかけた毛利嘉孝同大教授（メディア・文化研究）は「作家の多くは試行錯誤をしながら作品を作っていて、場合によっては最後の最後で大きく作品を変えることもある。今回のように一度内定が出た補助金が不交付になってしまうようなことが起きると、事前にいちいち全部確認しなければならなくなり、作品の中身についても事実上の検閲、チェックが入ることになる。作品を作ること自体が非常に難しくなってくるのではないか」と教育現場からの苦悩を漏らした。

美術評論家の林道郎・上智大学教授（美術史）は、日本の現代アートの国際評価向上を目指す文化庁の「アートプラットフォーム事業」を運営する「日本現代アート委員会」副座長を、補助金の不交付決定に抗議して辞任した。

「現政権になってから事態が非常に悪くなっていて、日本社会が表現というものに対する寛容度を低くしている。あいトリの事件は単発的に起こったことではなく、少なくとも過去五、六年、長く見積もると一〇年ぐらいの間にどんどん日本の状況が悪化してきた一つの兆候として起こったと思う」と分析。「文化庁では、今回の決定は寝耳に水だったという人が多く、『官邸マター』だと思います。文化庁に抗議はしているが、一方で、文化庁の人たちに頑張ってもらいたい」と述べ、心ある職員に内側からの変革を求める。

藤井光氏も「どういう議論がされていたのか、そのプロセスを知ることができない限り文化庁の説明に納得できない」と言い切る。

愛知県は一〇月二四日、文化庁に対し、「文化庁の裁量権を逸脱・乱用している」など七点を指摘し、あいトリへの補助金不交付について補助金適正化法に基づく不服を申し出た。大村秀章・愛知県知事は国が不交付の方針を崩さない限り、裁判も辞さない構えを見せたのだった。

大村知事「文化庁と折り合った」

文化庁が「全額不交付」とした補助金を巡っては二〇一九年度末に慌ただしい動きがあった。同庁は二〇年三月二三日、当初の七八二九万円を減額し、六六六一万円を交付すると発表したのだった。

愛知県は文化庁の発表に先立って一通の意見書を同庁に提出していた。三月一九日付の意見書には、「会場の安全や事業の円滑な運営を脅かすような事態への懸念が想定されていたのにもかかわらず、申告しなかったのは遺憾であり、今後はこれまで以上に連絡を密にする」と記され、県は同庁への不服申し出も取り下げた。

文化庁によると、県は表現の不自由展と、中止したことへの抗議として展示を中止・変更するなどした一四組の計一五組の作家の展示や、不自由展に要する当初予算を越えた警備費、展示再開にかかった経費などを差し引いたうえで補助額六六六一万円を算出して改めて交付を求め、同庁が同額の交付を決定したのだという。

愛知県と文化庁との水面下での交渉のなかで決着となったが、「国を提訴する」と鼻息が荒かった大村知事は「文化庁と折り合った」と繰り返すだけで、詳細な交渉過程は頑なに明かさなかった。約一一〇〇万円の譲歩により、大村知事は事実上、政府の言い分、つまりそれまで否定していた手続きに瑕疵があったことを受け入れたわけで、作品の内容を問題視した政府の介入を許したことには変わりない。

不透明な幕引きに、文化庁の不交付決定に抗議して補助金の審査委員会委員を辞任した野田邦弘・鳥取大学特命教授は「減額されたとはいえ交付再開は喜ばしい」と一定の評価をしながらも、「この裏には、審査委員会で採択した案件を、同委員会に諮ることなく事務レベルで全額不交付にしたという問題の本質を隠蔽し、放置する国、県の姿勢があり、問題だ」と指摘した。

減額交付に至った双方の事情については「文化庁は県と裁判になった場合、勝訴する自信がなかったのではないか。県が『わびた』ことでメンツも保たれ、不自由展にかかる部分を減額したという理屈になった。県も裁判になれば国との関係がギクシャクし、県行政にさまざまなマイナス要因が働くと予想したからだろう」と推測。今回の「手打ち」の影響を「今後の補助金申請で、通すのが難しい案件の取り下げや自粛などの風潮が広がるのではないか」と危惧する。

二〇二一年四月一日、文化庁長官に宮田氏の後任として作曲家の都倉俊一氏が就任した。同一六日の記者会見で、同庁の補助金問題について都倉長官は「主催者側のコミュニケーションの不備から、国民の税金を投入するわけにはいかない、という危機感があったと聞いている」などと述べ、事実上、当時の安倍政権の判断を肯定する見解を示した。

2 「宮本から君へ」の助成金不交付

文化庁所管の独立行政法人・日本芸術文化振興会（河村潤子理事長、芸文振）が、制作会社の「スターサンズ」（河村光庸社長）が手掛けた映画「宮本から君へ」（真利子哲也監督、二〇一九年九月公開）への助成金一〇〇〇万円（制作費は七八〇〇万円）の交付を内定通知しながら、出演者の一人が麻薬取締法違反の罪で有罪判決が確定したことを理由にあとから不交付を決定した（一九年七月）。文化芸術行政の在り方が問われたこの問題をめぐっては、スターサンズが、芸文振を相手に不交付決定の取り消しを求める訴えを一九年一二月に東京地裁に起こしたことで、法廷で争われることになった。

一審・東京地裁は二一年六月二一日、理事長の裁量権を逸脱する違法な取り消しだとして原告の訴えを認めた。ところが八カ月後の二二年三月三日、二審・東京高裁は、助成金の不

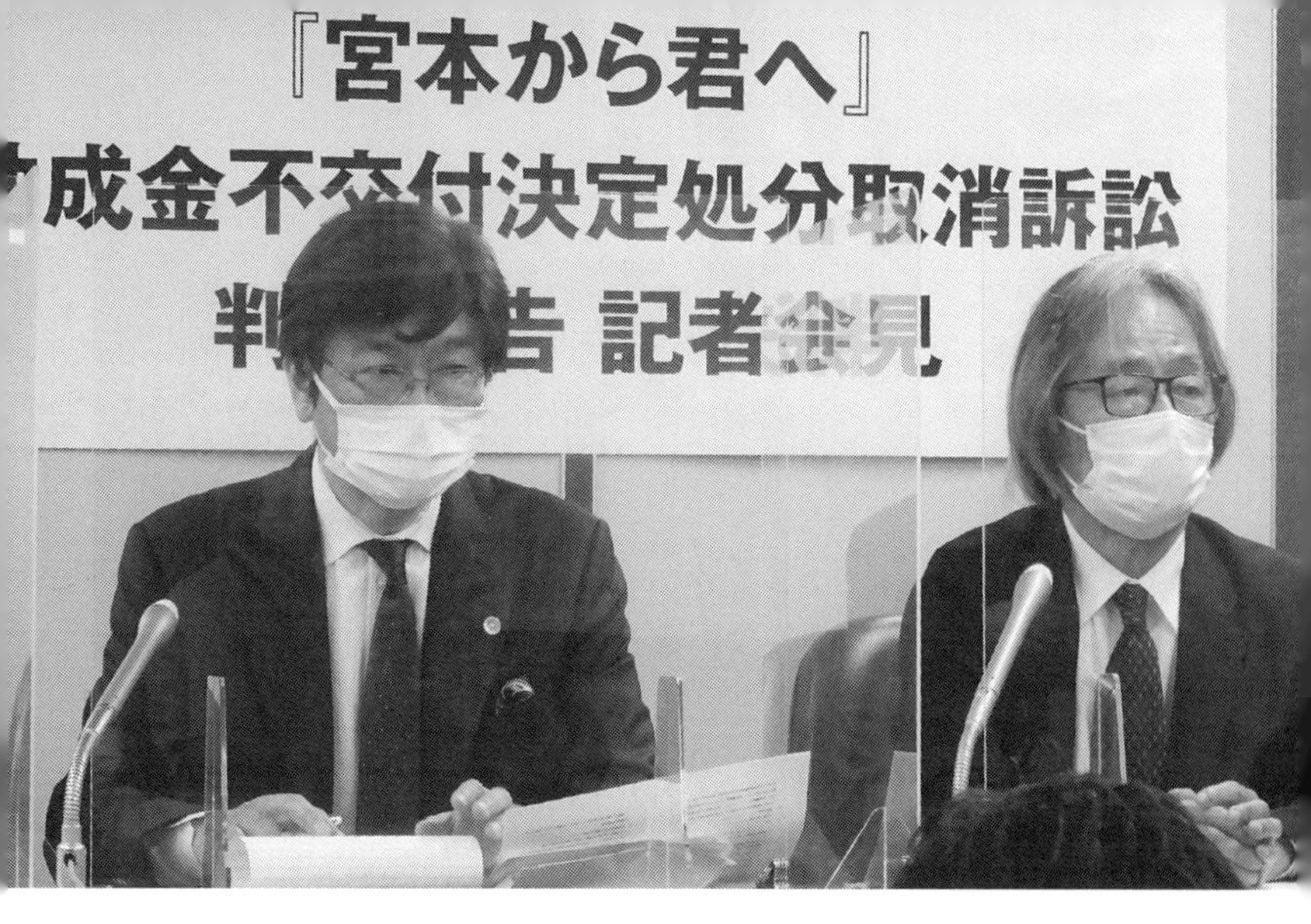

1審・東京地裁の勝訴判決後、記者会見に臨む河村光庸氏（右）と伊藤真弁護士＝2021年6月21日、東京・霞が関の司法記者クラブで

交付決定を適法と判断。スターサンズは一転して逆転敗訴となった。同社は、高裁判決を不服として上告した。裁判官はどのように判断したのか。

ピエール瀧氏が薬物使用容疑で逮捕

芸文振が助成金の交付内定を取り消した「宮本から君へ」は、漫画家の新井英樹氏が漫画週刊誌『モーニング』（講談社）に連載した同名作品の実写映画だ。

文具メーカーに勤める主人公の若手営業マン・宮本浩が仕事や恋愛を通じて成長していくさまを描いた。宮本役を池松壮亮氏、恋人・中野靖子役を蒼井優氏が演じた。助成金不交付の理由となった出演者は、ミュージシャンで俳優のピエール瀧氏（本名・瀧正則）で、宮本の得意先会社の部長・

真淵敬三役を演じた。その息子の拓馬が、泥酔する宮本の脇で靖子をレイプ。宮本が復讐を誓い、拓馬に決闘を挑むという人物関係だ。瀧氏は一二九分のうち一一分間ほど登場する。

関東信越厚生局麻薬取締部が瀧氏を麻薬取締法違反の疑いで逮捕したのは、一九年三月一二日。同日ごろ、東京都世田谷区の自宅とは別のマンションの一室でコカイン若干量を吸引したとされた。瀧氏と契約するレコード会社「ソニー・ミュージックレーベルズ」は翌一三日に、CDやDVDの出荷停止と店頭在庫を回収し、音源、映像のデジタル配信も停止すると発表。NHKも急きょ、大河ドラマ「いだてん~東京オリムピック噺~」で演じていた足袋店「足袋の播磨屋」の職人役に代役として三宅弘城氏を起用するなど波紋が広がった。

瀧氏は、東京地検が麻薬取締法違反の罪で起訴した四月二日に所属事務所の「ソニー・ミュージックアーティスツ」からマネジメント契約を解除された。

スターサンズの河村氏の説明によると、瀧氏の逮捕から芸文振の助成金の内定通知、不交付決定に至るまでの経緯はこうだ。

芸文振は逮捕から二週間たった三月二九日、スターサンズに助成金の内定通知を出す。同社は、芸文振が実施する文化庁の「文化芸術振興費補助金」(一九年度)による助成事業に応募していた。劇映画にかかわる助成額は三億二四〇〇万円で、応募件数は六六件あった(このうち二四件が採択された)。

芸文振の数人の担当者を交えた完成試写が行なわれたのは四月一二日で、その際に芸文振側から瀧氏の出演シーンのカットを求める趣旨で同氏の出演シーンの編集や再撮の予定について の質問を受けた、という。

これに対して、スターサンズ側は「（制作側としては）再編集、再撮の意見がないことを伝えた」という。河村氏は「『交付要綱』に、その時点では手続き上の不備を理由とする以外に『内定の取り消し』ができる明確な規定がなかったため、このような事実上の打診のようなものがあった」と感じたという（芸文振はその後、「公益性の観点から不適当と認められる場合」に内定や交付決定を取り消すことができるよう助成金の交付要綱を改定した）。

東京地裁（小野裕信裁判官）は六月一八日の判決公判で、瀧氏の薬物使用について、常習的な犯行と認定した。ただ、瀧氏が医師の指導に従って再犯防止のプログラムを受けていることや、所属事務所を解雇されたことで不利益を負ったことなどを考慮し、懲役一年六月、執行猶予三年（求刑懲役一年六月）の有罪判決を言い渡した。瀧氏は、七月二日までに控訴せず判決は確定した。

スターサンズは、その一〇日後の六月二八日に芸文振、文化庁の四人の担当者から口頭で助成金の不交付決定を告げられたという。その理由として「第三者委員会によって『優れた作品』として助成金交付に値すると評され、今でもその決定は尊重しているものの、麻薬取締法違反により有罪判決を受けた瀧氏が出演していることで『国が薬物使用を容認するようなメッセージを発信することになりかねない』」との説明があったという。

七月一〇日にスターサンズが受け取った「不交付決定通知書」には、「公益性の観点から適当ではないため」との一文があった。

芸文振は九月二七日付で「助成金交付要綱」を改定し、「公益性の観点から助成金の交付内定が不適当と認められる場合」というそれまでになかった理由を追加した。芸文振は文化庁の「文化芸術振興費補助金」と、政府の出資と民間からの寄付を原資とした「芸術文化振興基金」(七〇〇億円)の運用益を基にした二つの助成事業にかかわっており、要綱は両事業に適用される。

また、助成金の募集案内にも「助成対象団体が団体として重大な違法行為を行った場合や、助成対象活動に出演するキャスト又は制作に関わるスタッフ等が犯罪などの重大な違法行為を行った場合には、『公益性の観点』から助成金の交付内定や交付決定の取消しを行うことがあります」との表現も盛り込まれた。改定は、基金運営委員会を開いたうえで河村理事長が決定した、という。

改定された内容は、三週間ほどあとの一〇月一八日の朝日新聞報道で発覚したのだった。

少し横道にそれるが、芸文振が「宮本から君へ」への助成金の不交付を決定し、それに合わせて行なった助成金交付要綱の改定が大きく報じられ、社会的な注目を集めた背景には、愛知県で開催された国際芸術祭「あいちトリエンナーレ２０１９」（一九年八月一日～一〇月一四日）の企画展の一つ「表現の不自由展・その後」に出展された「慰安婦」を象徴した「平和の少女像」に抗議が殺到して中止になった問題がある。文化庁（宮田亮平長官）は、愛知県から申請のあった文化資源活用推進事業としていったん採択を決めた補助金七八二九万円の全額を不交付にすると九月二六日に発表していたのだ。偶然かもしれないが、この日は要綱改定の前日だった。

それに加え、「スターサンズ」は、当時の安倍晋三政権下で相次ぐ官僚やメディアの政権忖度のエピソードを随所に盛り込んだ映画「新聞記者」（一九年六月公開）を制作するなど内定取り消しや要綱改定は、有罪確定を理由にした忖度だとの見方もあった。

河村潤子理事長と安倍政権との距離は不明だが、河村理事長は文部科学省出身。第二次安倍政権だった一六年六月に国立教育政策研究所長から、内閣官房内閣審議官に就任し一七年九月まで務めた。翌一八年四月に芸文振の理事長に就任したという経歴の持ち主だ。

芸文振は助成金の内定・交付対象を決めるにあたっては、基金運営委員会に設けられた分野別の部会、専門委員会で芸術的観点から審査する。「宮本から君へ」でも同様の手続きが取られた。しかし、取り消しの際にはこうした審査は行なわれなかった。芸文振側の言い分としては、交付要綱には、基金運営委員会の議決を求める規定はないが、決定前の七月上旬、二一人の関係者に電話で不交付の方針を伝えたところ、反対意見は出なかったということらしい。

一方、交付内定や交付決定の取り消しの要件として、▽交付要望や交付申請書等について不正の事実があった場合、▽助成対象者が助成金を助成対象活動以外の用途に使用した場合――などの定めはあるが、先に触れたように、不交付決定の理由となった「公益性の観点」はなかった。

スターサンズは弁護団長に、文化芸術分野の法制度に詳しい四宮隆史弁護士、憲法が専門の伊藤真弁護士らが参加する弁護団をつくり、一九年一二月二〇日、東京地裁に提訴した。主たる争点は、被告となった河村理事長による内定の取り消し決定が、裁量権の範囲を逸脱、濫用したかどうかの違法性の有無である。

東京地裁「裁量権を逸脱し違法」

二一年六月二一日、一審・東京地裁はスターサンズの訴えを認め、芸文振理事長に助成金不交付決定の取り消しを命じた。判決を言い渡したのは、清水知恵子（裁判長）、横地大輔、定森俊昌の三裁判官だ。

東京地裁は「公益性を理由に交付内定の取り消し又は不交付決定をすることは、その運用次第では、特定の芸術団体等による自由な表現活動の妨げをもたらすおそれをはらむ」としたうえで、「原告は犯罪行為とは無関係であり、出演させたことに落ち度があったとの事情もうかがわれない」と指摘した。

一方、「国は薬物乱用に寛容であるという誤ったメッセージを発信したと受け取られる」との芸文振側の主張についても「助成金の交付は麻薬取締法違反を行った者やその関係者に対して利益を与えることを直ちに意味するものではないのであるから、助成金の交付決定がされたことを認識したからといって、違法薬物に対する許容的な態度が一般に広がるおそれがあるとは、にわかには認めがたい」などと退けた。

東京地裁はこうも指摘した。

「芸術団体等が時に社会の無理解や政治的な圧力等によって自由な表現活動を妨げられることがあったという歴史的経緯に鑑みると、助成事業を行うにあたっても、芸術団体等の自主性について配慮するとともに、各分野における芸術の専門家が行った評価については尊重することが求められる」

「芸術団体等」の部分を「学術研究団体等」と置き換えれば、二〇年九月に発足したばかりの菅義偉政権が日本学術会議推薦の六人の新会員候補の任命を拒否した問題にも当てはまりそうな判決でもある。ひと言でいえば、スターサンズの完全勝利、芸文振の完敗である。

スターサンズの河村氏は東京・霞が関の司法記者クラブで判決後に記者会見し、「私は主張のある映画を作るべきだと思っている。(判決には)大変勇気をいただいた。映画業界が、希望が持てるような判決でうれしい」と語り、伊藤真弁護士も「公益性という非常に曖昧で不明確な概念が独り歩きしようとすることを防止する一つの役割を果たすのではないか。これからの文化芸術活動にとって意味がある。私の中では公益性とは多様性とほぼ等しい」と評価していた。

一審判決はどう報じられたか。六月二二日朝刊の東京と日本経済はそれぞれ第一社会面と第二社会面のトップ。朝日と毎日がそれぞれ第二社会面と第三社会面の三段見出しで、読売、産経が第三社会面で二段見出しなど扱いに差はあるものの在京六紙ともに記事を掲載した。夜の主な報道番組で取り上げたのは、NHKのみだった。総務省の放送免許で営む民放にとっても他人事ではあるまい。

東京高裁は芸文振の主張を追認

ところが、東京高裁が二二年三月三日、文化芸術分野への公的助成をめぐる画期的な一審判決を覆した。一審判決を不服とした芸文振側が控訴していた。裁判官は、足立哲（裁判長）、堀田次郎、富澤賢一郎の三人だった。

東京高裁は「薬物乱用の防止という公益の観点から、国民から徴収された税金を原資とする助成金を交付しないとする決定をしたからといって、その判断の内容が社会通念に照らし著しく妥当性を欠いているということはできない。かえって、助成金を交付すれば『国は薬物犯罪に寛容である』『違法薬物を使用した犯罪者であっても国は大目に見てくれる』という誤ったメッセージを理事長が発したと受け取られ、薬物に対する許容的な態度が一般に広まり、ひいては、理事長が行う助成制度への国民の理解を損なうおそれがあるというべきである」と芸文振の主張に沿った判断を示し、スターサンズ敗訴の判決を言い渡したのである。

スターサンズ側が批判した公益性という概念が曖昧であるという点についても「芸文振が公共の利益の増進を推進することを目的とする独立行政法人であることなどから公益性に関わる事情も考慮すべきであり、薬物乱用の防止という公益が抽象的な概念であって、助成金の交付又は不交付の判断の考慮要素たり得ないということはできない」などとして全く認めなかった。

また、麻薬取締法違反の罪で有罪が確定した瀧氏は先に触れたように主人公の得意先を演じ、一二九分のうち一一分間ほど登場する。高裁判決は「主演ではないものの、ストーリーにおいて欠くことのできない重要な役割を果たしており、パンフレットやエンドロールの中でも主要な出演者として位置づけられている」と述べた。

一審判決は「本件映画の主役でもなければ、本件映画のほとんどの場面を占める主要出演者四名にも当たらないほか、その出演時間も約一一分にすぎないから、観客等に『顔』として受け止められるとはいえず、助成金の交付を受ける原告（スターサンズ）の利益と出演者（瀧氏）の利益との混同が生じるおそれが高いものであったと認めることはできない」と正反対の判断だった。

芸文振の主張を全面的に追認した高裁判決は、その理由の一つ一つも一審判決とは交わらなかったと言える。

河村氏は判決後に司法記者クラブで記者会見し、「裁判官の主観が入った表現への介入がされた。（薬物使用や殺人など今後制作者は）いろいろなシーンで配慮しなければならなくなる。今の裁判制度と裁判官の資質を疑う。何の説得力もない極めていい加減な判決だ」と批判した。

最高裁の良識が問われる。

（河村光庸氏は二〇二二年六月一一日、心不全のため死去した。七二歳だった）

3　「主戦場」の上映中止決定

「あいちトリエンナーレ2019」（あいトリ）の企画展「表現の不自由展・その後」の中止と再開をめぐって社会に広がった波紋が収まらない中で新たに起きた騒動が、川崎市麻生区で開かれた民間団体主催の「第二五回　KAWASAKIしんゆり映画祭2019」（一〇月二七日～一一月四日）での上映中止事件だ。

この映画祭でもあいトリと同じように上映中止となった作品「主戦場」（ミキ・デザキ監督、一二二分）が扱ったテーマは、「慰安婦」だった。同年四月に日本で公開されたこのドキュメンタリー映画は、旧日本軍の関与や「慰安婦」とさせられた女性に対する強制連行の有無など見解が割れる論争の当事者へのインタビューで構成する手法の斬新さと、日系米国人のデ

「しんゆり映画祭」での上映を訴える「主戦場」のミキ・デザキ監督＝2019年10月30日、川崎市アートセンターで開かれたオープンマイクイベント「しんゆり映画祭で表現の自由を問う」で。

ザキ監督が留学した上智大学の大学院での卒業論文として制作した若手の作品であることなどから話題を集めた。「あいトリ」や「宮本から君へ」のような税金を原資とした公的機関からの負担金の不交付が直接問題となったわけではないが、主催者が中止を判断した背景には、共催者として運営費用の一部を支出する川崎市が示した懸念に対する過剰な配慮があった。

「しんゆり映画祭」の関係者が二一年六月にまとめた、上映中止の経緯を検証した資料や関係者の証言によると、映画祭では、上映する作品をスタッフら関係者による投票で決める仕組みで、一九年の映画祭でも六月一〇日に候補作の一つとして「主戦場」が決まり、上映に向けた作業が始まった。ところがほどなくして、後に上映中止の引き金となった川崎市が「懸念」を示すことになる出来事が起きた。

「主戦場」に出演したタレントのケント・ギルバート氏や「新しい歴史教科書をつくる会」副会長の藤岡信勝氏ら五人が「修士論文に代わる映像作品としてインタビューに応じたのに勝手に商業映画として公開された」などとして、デザキ氏と映画配給会社「東風」（木下繁貴代表）に対して、映画の上映や配給の禁止と計一三〇〇万円の損害賠償を求める訴えを東京地裁に起こしたのだ（六月一九日）。

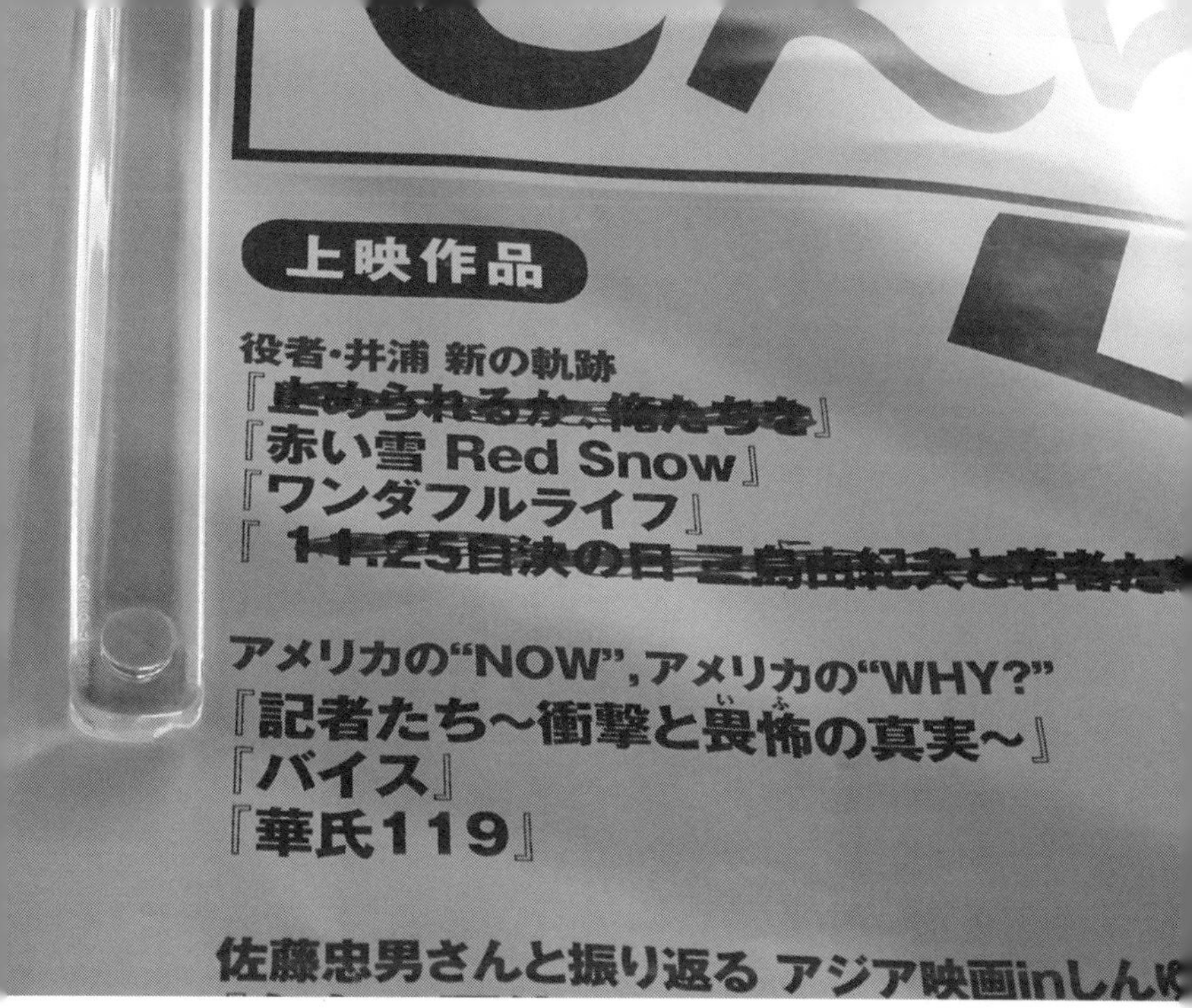

上映会場となった「川崎市アートセンター」（川崎市麻生区）に貼られた「第25回　KAWASAKI しんゆり映画祭 2019」のポスター。急遽、上映中止となった作品名は黒塗りされていた＝2019年10月30日

川崎市が示した懸念が発端

「しんゆり映画祭」を主催するNPO法人「KAWASAKIアーツ」は東風から提訴についての情報を七月三日に受け取ると、川崎市市民文化局市民文化振興室に連絡した（二〇日）。その後も市からの問い合わせはしばしばあるものの、上映見直しの要請は特段なかったという。事態が大きく動いたのは、八月に入ってからだ。主催者は五日午前、東風に対し、「主戦場」の上映とデザキ監督の登壇についてメールで正式に申し込んだ。主催者としては提

訴の連絡から一カ月がたっていたこの段階まで、上映する方針に変わりはなかった。

ところが同じ日の午後になると、川崎市の担当係長から電話で連絡があった。「『訴えられる可能性がある作品を上映することに関して、いかがなものか』と局長より言われた」(「映画『主戦場』上映取り止め問題の経過」から)。主催者はすぐに東風に事情を説明し、手続き保留をお願いしたという。市担当者は翌日、対面で市側の懸念を改めて伝えた。

「作品の出演者が上映差し止めを求めている作品を、決着がつかない段階で、共催者として市の名前が出て、上映することは厳しい(映画の内容云々ではない)」「市と映画祭は〝共催〟なので、対等な立場。市も意見をいう権利がある」「映画祭でなく、スタッフの自主上映であれば問題ない」(同)。

川崎市は映画祭の開催に必要な運営費用の約一三〇〇万円のうち約六〇〇万円を負担している。八月五日を境に主催者内部の議論は、上映中止に次第に傾いていく。七日には映画祭代表の中山周治氏が市側に「個人的には取り下げは、やむなしと考える」などと伝えたという。九月一一日、東風に上映取り止めを伝える書類を発送し、上映中止が正式に決まった。

このときの内部の状況について自主検証した「映画『主戦場』上映取り止め問題の検証とＫＡＷＡＳＡＫＩしんゆり映画祭再生に向けた取り組みについての報告」には、「自立運営できない財務状況を背景とした過剰な配慮」として「映画祭が全うすべき上映姿勢についての独立した考え方を保つことができなかった要因のひとつには、映画祭における財務基盤の脆弱さがありました」と明記された。

配給会社の立場から東風も上映に向けた努力を重ねていたが、主催者も市も上映を取り止めたことを発表しなかったため、この経緯は広く知られることはないままだった。中止が表面化し社会問題化したのは、開幕まで一週間を切った一〇月二四日の朝日新聞デジタル（新聞は二五日朝刊）の報道がきっかけだった。他紙も相次いで後追い報道したため、上映中止への批判は全国に広がった。

「表現の不自由展・その後」の再開で「あいちトリエンナーレ」は閉幕したものの、文部科学省・文化庁による補助金の不交付決定問題はなお未解決のまま。独立行政法人・日本芸術文化振興会（芸文振）による映画「宮本から君へ」に対する助成金不交付決定は、先に触れたように、芸文振助成金の交付要綱の変更が朝日新聞の報道（一〇月一八日朝刊）によって明らかになったことで注目を集めた。次々に明らかになる行政によるさまざまな口実を用いた文化芸術活動への不当な介入に対する不信は、「しんゆり映画祭」のケースでは上映中止を決めた主催者にも向けられた。

ところが、主催者が上映中止を映画祭のサイトで発表したのはなんと開幕日の一〇月二七日。映画祭代表の中山周治氏の名前で「上映時に起こりうる事態を想定し、私たちができうる対策を何度も検討した結果、今回は上映を見送らざるを得ないと判断をさせていただきました」と釈明した。

是枝監督「取り下げは映画祭の死」

「主戦場」の上映中止決定が明らかになると、白石和彌氏、井上淳一氏、若松プロダクションが「しんゆり映画祭」への出品中止を表明（一〇月二八日）。井浦新氏主演の「ワンダフルライフ」を出品し、舞台あいさつのため二九日に映画祭を訪ねた是枝裕和監督は「共催している側が懸念を表明している場合じゃない。払拭する立場だ。その共催者の懸念を真に受けて主催者側が作品を取り下げるというのは映画祭の死を意味する」などと批判したという。

こうしたなかで三〇日に映画祭が主催する「オープンマイクイベント」という誰もが発言機会のある集い「しんゆり映画祭で表現の自由を問う」が開かれた。約一七〇人が参加し、当事者のデザキ監督も会場を訪ねた。デザキ監督は「まだ起こってもいない嫌がらせに降伏したことになる。一緒に言論の自由を守るために行動したい」と発言。三時間に及ぶイベントでは上映を求める声が大半を占めた。

「しんゆり映画祭で表現の自由を問う」には約170人が集まり、「主戦場」の上映中止に批判の声が上がった＝2019年10月30日、川崎市アートセンターで

中山代表は「今まで内容について口を出してこなかった市が『難しいんじゃないか』という言葉を発したことについては、非常に重く受け止めないといけないと感じた。八月上旬には『あいちトリエンナーレ』や日韓関係を巡る状況もどんどん変わっていったので、安全面を確保するのが難しいと判断した」と説明。そのうえで「セキュリティー面をクリアして、万全な態勢でやれるときにやるということで検討したい」と表明。翌三一日の「上映実現にむけて前向きに協議しています」との発表につながった。

一一月四日の最終日の上映には、

一一三席の定員に対して四二五人の鑑賞希望があったという。出品が取りやめとなった作品も上映された。ただ、上映が決まると、抗議電話も複数あり、表現の不自由展と同じように「ガソリンまいて火をつける」との脅迫電話も一件あったという。

主催者が上映を中止するまでの経緯で気づかされるのは、共催者である川崎市に市民活動に寄り添おうとする姿勢が見えないことだ。

「出演者から上映の差し止めを求める裁判が訴えられているということから懸念を表明した」。福田紀彦・川崎市長は「しんゆり映画祭」が閉幕した翌一一月五日の記者会見でそう述べた。この発言から分かったのは、懸念を示した市側の判断に誤りはなかったとの姿勢だった。福田市長は「懸念を伝えたということは、何か報道とかで表現の自由がという話だとか圧力だとかということが言われていたりしますが、全くそういうことは考えておりませんし、そもそも内容について私たち、言ったことは一切ございません」と言い切る。是枝監督の声は福田市長の心には届かなかったようだ。公害、薬害、差別、戦争――社会問題と密接にかかわるドキュメンタリーは必ずしも作品に登場した人物が納得するように制作されるわけではない。係争中かどうかを基準に選ぼうとした川崎市の判断は行政機関が住民に保障すべき表現の自由の対象を狭めるものだ。是枝監督が「映画祭の死」と表現したのはそうした無理解への皮肉ではなかったろうか。

その後、映画祭の代表や運営委員は責任を取る形で全員が辞任（一九年一二月）。映画祭関係者は信頼回復を目指して「映画祭再生プロジェクト」をスタートさせた。厳しく自己検証した報告書の内容は、映画祭を続けようという強い思いを感じるには十分な内容だ。川崎市との温度差は明白だ。

東京地裁では監督側勝訴

ところで、出演者らが起こした訴訟の行方はどうなったのか。

二二年一月二七日、東京地裁（柴田義明裁判長）で判決言い渡しがあった。

柴田裁判長はギルバート氏ら原告とデザキ氏が交わした承諾書や合意書の内容について「製作した映画の配給、上映や公開についても記載されていた」とし、「（デザキ氏が）公開されることがあることを秘していたということはできず、原告ら主張の欺罔行為を行ったとは認められない。原告らは商用として公開される可能性をも認識したうえで許諾した」などとして請求を棄却。原告らを作品の中で「歴史修正主義者」などと呼称したことについても「意見ないし論評の域」と名誉権侵害も認めなかった。

デザキ氏は判決後に東京・霞が関の司法記者クラブで記者会見し「裁判官が双方の意見を

聞いたうえで正義がなされたものと、とても嬉しく思っている。日本における表現の自由の勝利だ。負けていたら、特に論争的なテーマについての映画を作りたいと思う人たちに悪い影響を与え、原告らのように意見の違う人たちとの関係で映画を作ることが難しくなるところだった」と語った。また、「もし負けたら原告らは勝ったことを理由に内容を捻じ曲げて『慰安婦』自体が嘘だったと言うはずだ。そういうことがあってはならないと重荷を感じていた」と明かした。原告側は「こういう作品が存在することが問題。不当判決だ」（ギルバート氏）として控訴し東京高裁で争われている。

控訴審でも表現の自由が守られることを願いたい（控訴審の知的財産高裁は二〇二二年九月二八日、一審判決を支持し、ギルバート氏ら五人の控訴を棄却する判決を言い渡した。東海林保裁判長は「主戦場」について、「〔控訴人に対する〕名誉権侵害としての違法性を欠く。著作権を侵害するとは認められない」などと理由を述べた）。

第4章

愛知県知事 VS 名古屋市長

あいちトリエンナーレ実行委員会運営会議で同席した大村秀章・愛知県知事（左）と河村たかし名古屋市長。お互いに目を合わせようともしなかった＝ 2019 年 12 月 26 日、愛知芸術文化センターで

1　盟友・大村知事を見限り、見限られるまでに何があったのか

「あいちトリエンナーレ2019」（あいトリ）の企画展「表現の不自由展・その後」に反対した人たちの運動は、新型コロナウイルスが猛威を振るっていた二〇二〇年夏、あいトリの実行委員会会長だった大村秀章・愛知県知事へのリコール（解職請求）に突き進んだ。リコール運動には河村たかし名古屋市長も積極的に応援団として参加し、大村知事と河村市長の政治対立の様相も呈してきた。ところが、この運動は大きく躓いた。

同一筆跡など偽造の疑いがある大量の署名が見つかり、地方自治法違反（署名偽造）容疑で、関係者が愛知県警に逮捕されるという事件になった。

表現の不自由展をめぐり大きく深まった二人の溝だが、実は河村市長は、一一年二月の大

大村知事のリコール運動に使われた街宣車＝2020年8月5日、名古屋市中区で

村知事誕生の立役者でもあったのだ。なぜ、河村市長はその大村知事を引き下ろす運動にかかわるという正反対の立場を取ることになったのか。河村市長のそれまでの行動をたどりたい。

大村知事が初当選した一一年二月の知事選は、市長辞職に伴う市長選と、市長が主導した市議会リコールの住民投票の二つが合わせて行なわれ、いずれも「一〇％減税」「中京都構想」など共通公約を掲げた二人の連携で全勝した。当時、河村市長は「民主主義を名古屋の名物にしていく」と述べ、大村知事も「盟友である河村市長と中京独立戦略本部をつくる」と応じていた。

しかし、大村知事は自民党、河村市長は民主党の衆議院議員であったなど政治スタンスは微妙に異なる。次第に距離ができ始めたようで、大規模展示場建設、アジア競技大会（二六年）の費用負担、名古屋城木造新天守のエレベーター設置――など県と市にかかわるさまざまな政策で考えが合わなくなった。

大村知事に対するリコールの引き金となったのは、「表現の不自由展・その後」だ。既に触れたが、韓国人作家の金運成、金曙炅夫妻が制作した「平和の少女像」（正式名称は「平和の碑」）が日本国内では初めて公共的な施設（愛知芸術文化センター）で展示された。これに対して、実行委員会の会長代行でありながら、展示されることを事前に知らされていなかったとする河村市長は、開幕初日（一九年八月一日）に「『慰安婦』制度は悲しい歴史ではあるが、日本軍が主導して作った制度である証拠はない。表現の自由と言っても一定の制約がある。見解が分かれる問題に対して市長が一方の立場を容認したと受け取られかねない」と反発。翌日には展示会場を視察し、大浦信行氏の版画「遠近を抱えて」でコラージュした昭和天皇の肖像を燃やすシーンを収録した映像作品「遠近を抱えてＰａｒｔⅡ」も合わせて問題視し、「日本人の心を踏みにじるようなものだ」としてこの日のうちにこれらの作品の展示中止を大村知事に求めたという経緯がある。

大村知事は「憲法二一条で禁止された『検閲』ととられても仕方がない」と批判。「行政や役所など公的セクターこそ表現の自由を守らなければいけないのではないか。自分の気に入らない表現でも、表現は表現として受け入れるべきだ」と取り合わなかった。ただ、電凸や脅迫などが殺到し、同展は開幕からたった三日で中止に追い込まれた。閉幕が六日後に迫った一〇月八日、六六日ぶりに再開されるという異例の展示となった。

一方、名古屋市は翌二〇年三月、実行委員会（会長・大村知事）に対する一九年度の負担金一億七一〇二万円のうち未払い分三三八〇万円を支払わないことを決定した（ただし、不自由展の費用四二〇万円は協賛金で賄われた、という）。これに対して、実行委員会は同年五月に市を相手取り支払いを求める訴えを名古屋地裁に起こし、事実上の県と市の争いは法廷の場に持ち込まれた。

「愛知県民にとって恥ずかしい知事は支持できない。我々が払った税金から補助を与えることは許せない」

二〇年六月二日、美容外科「高須クリニック」の高須克弥院長は名古屋市のホテルで開いた記者会見でそう訴え、大村知事をリコールするため政治団体を立ち上げたことを明らかにした。河村市長も同日、「市民のために応援せにゃいけん」と語り、リコール運動を支持する考えを表明した。

大村知事が河村市長を提訴し、今度は河村市長が大村知事のリコールに乗り出す。両氏は政治的な折り合いをつける余地がないまま、対立を深めていくことになった。

リコール運動事務局は、河村市長の事務所に近いビルの一室を市長の知人の紹介で借りることになる。ただ、運動はその後、思惑通りに動き出すわけではない。

愛知県は五月二六日に新型コロナウイルス感染拡大で発令した県独自の緊急事態宣言を解除したばかり。七月からは第二波に見舞われ始め、県は八月六日、県独自の宣言を再度、発令した。リコールの署名集めの開始日も当初の八月一日から宣言解除（八月二四日）後の二五日に延期になるなかで、高須氏は六月に県議会に知事への不信任決議を求める請願を提出し、河村市長も九月に知事の辞職勧告決議を求める請願をするなど揺さぶりをかけ続けた

（いずれも不採択）。

　一一月、県選挙管理委員会が受け取った署名の数は四三万五二三一筆で、リコールを請求するために必要な八六万六五八六筆（九月一日時点）には及ばなかった。その後、署名偽造の真相を究明する市民団体「不正リコールを許さない市民の会」も立ち上がり、一二月に入ると二一年三月に名古屋市長選への立候補を表明する元市議会議長の横井利明市議（当時は自民）が市議会で、同じ筆跡の署名がたくさん見つかるなどの不正署名の疑いについて河村市長に関与の有無を質問（市長は否定）。リコール署名活動にかかわったボランティアが県庁で記者会見を開くなど不正疑惑が広がり始める。

　地方自治法七四条の四第二項には、「請求者の署名を偽造し若しくはその数を増減した者は、三年以下の懲役若しくは禁錮又は五〇万円以下の罰金に処する」とある。県選管は無効票の確認に乗り出し、二一年二月に約八三％の署名が、同一筆跡など無効の疑いがあると発表した。無効な署名のうち九割が複数の同一人物によると疑われる署名で、選挙人名簿に登録されていない人の署名も約五割あったという。大村知事は「民主主義の根幹を揺るがすゆゆしき事態だ」と記者会見で述べた。

　県選管と名古屋市は二月、地方自治法違反容疑で被疑者不詳のまま愛知県警に刑事告発。県警は二月に県内の六四市区町村の選管から署名簿を押収、事務局幹部の事情聴取を始めた。三月には、リコール運動事務局が使用していた同市東区の元事務所を家宅捜索するなど事件の解明を進めた。

署名偽造をめぐっては二月、中日新聞と西日本新聞の共同取材と報道（二一年日本新聞協会賞受賞）で、名古屋市の広告関連会社の下請け会社が、人材紹介会社を通じてアルバイトを募集し、佐賀市内の貸会議室で書き写させていたことが報じられる（二月一六日朝刊）など何者かによる組織的な工作が浮かび上がった。

リコール運動の「顔」となった河村市長と高須氏は「不正を指示したり、黙認するわけがない」（高須氏）としてともに一連の署名偽造への関与を否定した。

リコールに反対した市民団体「『表現の不自由展・その後』をつなげる愛知の会」が三月七日に市内で開いた河村市長の辞職を求める集会には、約二四〇人が参加した。基調講演は共同代表の中谷雄二弁護士。「不自由展」実行委員会の弁護団長として、再開に向けた「和解」をあいちトリエンナーレ実行委員会から勝ち取った人物だ。

「不自由展の中止問題は、政治家が主導した。河村市長がまず発言し、つられて抗議が広がった。リコールでも、河村市長は街宣車を走らせ肉声で『リコールしよう』と呼びかけた。自分がかかわった運動で不正行為が行なわれたのだから政治的、道義的責任があることは間違いない。リコールは地方自治の最後の砦。それを彼らは（不正で）壊そうとした。こういうことが行なわれるなら今後、地方自治、民主主義は一層、形骸化する。名古屋市に地方自治と民主主義を取り戻すため一刻も早く辞めてもらわなきゃいかん」

集会では、辞職を求める決議が採択された。同会は一九日に辞職を求める三万一八八〇筆の署名簿を市に提出しようとした。しかし、市は「河村氏が個人で行なった活動で、市として行なったことではない」と受け取りを拒否した。

四月二五日投開票の名古屋市長選には四人が立候補したが、大村知事が「全力で応援したい」とする横井市議と、河村市長の事実上の一騎打ちの構図となった。河村市長三九万八六五六票、横井市議三五万七二票で、有権者の選択は、河村市長に引き続き市政を委ねることだった。ただ、五選を果たしたものの前回（一七年四月二三日投開票）市長選では四五万四八三七票を獲得。次点候補（前市副市長）との差が約二六万票だったことを考えると、市民の批判は相当大きかった。

２　法廷闘争へ――名古屋市第三者委員会を検証する

名古屋市が負担金不交付を決定

国際芸術祭「あいちトリエンナーレ２０１９」（あいトリ）をめぐる、大村秀章・愛知県知事と河村たかし名古屋市長の対立は閉幕（一九年一〇月一四日）後も止まず、二〇年五月二一日、ついに法廷に持ち込まれることになった。大村知事が会長を務めるあいトリ実行委員会は名古屋市に負担金の未払い分（三三八〇万円）の支払いを求め、名古屋地裁に提訴した。あいトリ実行委員会が名古屋市を提訴する「引き金」になった同市の第三者委員会について検証したい。

新型コロナウイルスが感染拡大し、複数のクラスター（感染者集団）発生が騒がれていた名古屋市で二〇年三月二七日、市の第三者委員会「あいちトリエンナーレあり方・負担金検証委員会」の最終会合が開かれた。

名古屋市が選んだ委員は五人。座長に山本庸幸弁護士（元最高裁判事、元内閣法制局長官）、

「あいちトリエンナーレあり方・負担金検証委員会」の初会合。左から座長の山本庸幸弁護士、河村たかし名古屋市長、副座長の中込秀樹弁護士＝ 2019 年 12 月 19 日

副座長に中込秀樹弁護士（元名古屋高等裁判所長官）。他の委員は▽浅野善治・大東文化大学副学長（名古屋市法制アドバイザー、元衆議院調査局決算行政監視調査室首席調査員）▽田中秀臣・上武大学ビジネス情報学部教授（経済政策）▽田中由紀子氏（美術批評、ライター）という顔ぶれだ。

取材席に配布された報告書案に「天皇肖像画等焼却ビデオ」とネット右翼まがいの文字が躍っているのを見て、筆者は目を疑った。

「天皇肖像画等焼却ビデオ」とは、大浦信行氏の映像作品「遠近を抱えてＰａｒｔⅡ」に他ならない。旧日本軍の「慰安婦」から着想した「平和の少女像」とともに不自由展に展示され、激しい抗議にさらされた作品だ。

「どえらげにゃあ（最大限に）丁寧なご議論をいただいた」と報道陣に満面の笑みを見せた河村市長。検証委員会はこの日、あいトリへの市の負担金の未払い分三三八〇万円の「不交付はやむを得ない」とする報告書を多数決で議決した。

会合終了後、筆者は山本座長に「天皇肖像画等焼却ビデオ」の表記について尋ねた。「作品に敬意を欠いた表現で、報告書の信用性に関わるのではないか」。これに対する答えは「県（注・あいちトリエンナーレのあり方検討委員会）の報告書を引用した。それは市に聞いていただきたい」。県の検討委員会が作家をわざわざ貶めるような表現をするわけはなく、言い逃れは明らかだった。後に市がホームページで公開した報告書では「天皇肖像画等を含むビデオ」と書き換えられたが、最後まで作品名は記されることはなかった。

名古屋市の検証委員会は、あいトリへの一九年度分の市の負担金約一億七一〇〇万円の取り扱いなどを検証するため河村市長が二〇一九年一二月九日に設置した。あいトリを主催した実行委員会の会長代行でもある河村市長はすでに触れたように、不自由展批判の急先鋒だ。開幕翌日の一九年八月二日、不自由展の会場を視察し、「日本人の心を踏みにじるもの」などと批判し、展示の中止を会長である大村秀章知事に求めた。

当然、再開にも最後まで反対し、再開当日の一〇月八日には、会場の外で抗議の「座り込み」まで行なった。県が設置した「あいちトリエンナーレのあり方検証委員会」（後に検討委員会）の中間報告（一九年九月）でも、「河村市長や作品を見ていない県外政治家の抗議が報道され、抗議が拡大した」と指摘。最終報告書（一九年一二月）でも「政治家の発言は、純粋な個人的発言とはみなせない。内容によっては圧力となりえ、（広い意味での）『検閲』とも言いうるので、慎重であるべき。また、報道等で拡散されることで度を越した抗議を助長する点でも慎重であるべき」と記載された。

河村市長と大村知事の「内輪もめ」が続いた末、市検証委員会の初会合は一九年一二月一九日に東京・平河町の都市センターホテルで開かれた。五人の委員のうち、あいトリを訪れた委員は田中（由）氏だけで、その田中氏も表現の不自由展は見ていなかった。さらに、山本座長が冒頭で披歴した「美術観」は出席者の多くを呆れさせるものだった。市の芸術文化団体への補助金交付要綱の運用指針に「宗教的又は政治的意図のないもの」とあることを紹介して、こう述べた。

「多分、芸術に関する展示というのは、芸術を皆さんで一緒に楽しむという比較的平和的な催しなものですから、そこにそういう政治的な闘争を持ち込むのは良くないということで、そういう基準になっているのではないかと推察するわけです」

これに対して、委員の中でただ一人、美術を専門とする田中（由）氏が反論した。

「『現代美術』については、いかにも楽しくて美しいものが美術というわけではなく、どちらかというとグロテスクだったり、目を覆うようなものも多くある。現代美術は社会や政治、社会環境の中で、作家が問題意識を感じたことがアウトプットとして表現となって生まれるので、政治、社会問題から無関係ではいられない作品が多くあるというか、ほぼそういったものだと思います」

田中（由）氏は、初めて開催された二〇一〇年から一六年の前回まで計三回のあいトリに、教育普及を扱うエデュケーターなどのスタッフとして関わってきた。

一方、不自由展に否定的な立場から出席したのは田中（秀）氏だ。本人の説明によると、産経デジタルのオピニオンサイト『iRONNA』にあいトリに関する二本の記事を執筆したことから、市の事務局から声がかかったという。サイトには「『表現の不自由展』甘い蜜に付け込まれた津田大介の誤算」（一九年八月六日）、「あいちトリエンナーレ『真っ当』朝日新聞が忘れたおカネの重み」（一九年一〇月一日）という同氏の記事が掲載されていた。同氏は用意してきた文書を読み上げる形で意見を述べた。

「不自由展を企画展示したことで、芸術祭に過度な政治的対立、社会の分断、市民の皆さんにも政治的対立を持ち込んでしまった」「不自由展はアートではなく、政治的なプロパガンダ、扇動として理解され、それを巡って厳しい対立が生じた。これは明らかなことだと思う」

これに対し、展示内容に立ち入ることに慎重な姿勢を示したのが、中込秀樹副座長だ。

「その内容が偏っていると評価をすること自身が、一種の偏った立場の評価になってしまうところもある」「今回のような問題で市や県が慎重になると、萎縮効果の方が大きいのではないかと思う。問題にされたらどうしようという話になると、検閲ではないが、事前の注文がかなり多くなったり、自由な芸術祭の運営に支障が生じてしまうのではないか」

検証委員会での議論の論点は▽市の負担金をどうするか、▽次回以降、あいトリに市はどのようにかかわるか――の二点に大きく絞られた。

「支出済みの返還も含め全額支出すべきではない」と一貫して主張したのは田中（秀）氏。これに対して中込副座長は「内容はともかく催しはやられたわけで、負担金交付決定の目的は達している。払わざるを得ないんじゃないか」と全額支出を主張した。

三回の審議で不交付にお墨付き

検証委員会の議論は、平行線のまま進んだ。ところが三回目の最終会合（二〇年三月二七日）で山本座長が報告書案として示したのは「予定していた負担金の不交付という形で、市が抗議の意志を表すということは、やむを得ないものと考える」と、未払い分の不交付を容認するものだった。

山本座長が理由として挙げたのは、あいトリ実行委員会の会長である大村知事の「独断的な運営」だ。具体的に次のように指摘した。①あらかじめ危機管理上重大な事態の発生が想定されたのに、会長代行である河村市長に知らせず、あいトリ実行委員会の運営会議が開かれなかった、②不自由展の中止と再開を事前に河村市長に知らせず、運営会議が開かれなかった。

これに反対する個別意見が二人から文書で出された。

田中由紀子氏は「河村市長からの運営会議開催要請が無視され、実行委員会規約を遵守した運営がされなかったことは大きな問題で、体制等の見直しが求められる」とする一方、「事務局や現場のスタッフの努力もあり、不自由展以外は運営上の大きな問題もなく七四日間の会期を無事に終えたという実績に対し、三三八〇万円を不交付とするのは、あまりにも狭量ではないか」と批判した。

中込副座長は「負担金の対象となる事業は中止・廃止されることなく完了した。市は全額を支払うべきだ」としたうえで、こう続けた。「市が負担金を支払わないとする理由は、実行委の運営会議が開かれないまま重要事項が決定された手続き上の問題」「しかし、不自由展の開催中断はあいトリの内容から発生した事態で、運営会議が開かれなかったことによって生じたものではない。運営会議が開かれなかったことはあくまで実行委内部の問題で、あいトリ開催そのものに致命的な影響を与えるような事項とは言い難い」。

報告書案はさらに、今後のあいトリへの市の関わり方にも言及。「宗教的又は政治的意図のないものに交付する」という市の芸術への補助金交付政策が貫徹されているかどうか十分に検討するため、あいトリ実行委員会の運営会議を市長の求めがあれば招集するよう規約を改正することを提言した。

これについても田中（由）氏は反論した。「何をもって宗教的・政治的と判断するのかは極めて難しい」とし、理由として、作家が現代社会や政治の問題と無関係でいられるはずはなく、社会や政治に対する問題意識のアウトプットが優れた作品として評価されていることを挙げた。また、海外作家の作品は宗教的な世界観がベースになっているものも少なくないとし、「宗教的、政治的意図がまったくない作品はほとんどないといっていい」と美術界の「常識」を突き付けた。

さらに「負担金の対象を『宗教的又は政治的意図のないもの』としたとき、『皇室に関するもの』や『日本の東アジアへの侵略に関するもの』などと安易にはくくれないので、（市が）あいトリから撤退するのも一つの選択肢だ」と、抜本的な提言も行なった（二人の個別意見は、報告書本体には盛り込まれなかった。ただ、名古屋市は「あいちトリエンナーレ」から名称変更された国際芸術祭「あいち２０２２」には参加しなかった）。

ところが山本座長は多数決を採り、自身を含む三対二で報告書案を承認してしまった。終了後、「三回という制約があって、その中で結論を出さなきゃならなかった。普通、第三者委員会はもう少し回数がありますよね。その過程で（意見が）一致していくものなんですけど」。山本座長も認めたように、河村市長が自賛する「丁寧な議論」とは程遠い形で、市長の意に沿った結論が導き出されたと言っていい。

あいトリの芸術監督を務め、市の検証委員会のすべての会合を傍聴した津田大介氏は、会議後に取材に応じ、座長が採決に加わったことを疑問視した。そのうえで、「一回目から、委員の皆さんはほとんど同じことをおっしゃっているだけだったので、そもそも（負担金を）出さないという結論ありきで進んでいたんじゃないか」と批判した。

検証委員会の報告書を受け、河村市長はこの日、未払いの負担金を支払わないことを表明した。これに対し、あいトリ実行委員会は五月二一日、名古屋市を相手取り、未払いの負担金支払いを求めて名古屋地裁に提訴した。

名古屋市の松雄俊憲・観光文化交流局長は二〇年五月一四日の市議会で、訴訟になった場合、「公的機関が主催するときは公金を使ってやるので、『表現の自由』はどこまで認められるか、どういう条件だったら政治的なものが（展示）できるのかということを主張していく形になる」と展示内容にまで踏み込むと明言している。

あいトリ実行委員会からの提訴を受けて河村市長は「本当にやるとは正直言って思っとりませんでした。ほかっておくわけにはいかんやないですか。名古屋市民の税金と名誉を守らないかん」と述べた。

法廷闘争に突入したのは、美術界からの声に耳を貸さず、結論を急いだ必然と言えるのではないだろうか。

田中由紀子氏「宗教・政治の影響は当然」

名古屋市の検証委委員を務め、報告書の内容に強く反対した田中由紀子氏はどのように感じているのだろうか。提訴の直後にメールで見解を尋ね、次のような回答を得た。

――検証委の報告書に基づき、河村市長が未払いの負担金を支払わないことを決め、それに対してあいトリ実行委が裁判に踏み切りました。

「不自由展はあいトリの一部であり、あいトリ自体はおおむね成功を収めているわけなので、河村市長の要請通りに実行委が開かれなかったことを主な理由に、負担金を支払わないということはありえないと思っています。なので、裁判になることは当然予想されていました。（報告書の）多数決の後、私が『（県が）承諾されなかった場合、訴訟とかになるのでしょうか』と質問したとき、山本座長が『それは分かりません』と答えられたのですが、裁判と同じで決着がつけば、私たち委員の役目は終わりだと考えていることが分かり、それ以上、意見できませんでした」

――過去三回のあいトリに参加された田中さんがなぜ、河村市長が設置した検証委の委員という損な役回りを引き受けられたのでしょう。

「市の担当者が説明に来たのが（二〇一九年）一二月初め。他の委員は既に決まっており、差し迫った日程（初会合は同月一九日）からも、おそらく何人かに断られていることと、美術関係者を委員に加えないことで、美術の有識者不在での検証だと批判されるのを避けたいのだろうことが推測されました。しかし、法律家や経済学者だけで、手続き上の問題点のみが議論されるのは避けたいと思い、美術関係者の声を少しでも伝えることができれば、という気持ちから引き受けました」

――田中さん以外の委員が誰もあいトリを見ていなかったと聞いて驚きました。

「私も驚きました。資料として市から提供された写真や映像を見たから、十分判断できるという委員の発言にはさらに驚かされました。美術作品は、写真と実物ではスケールが違いますし、どれくらいの広さの会場に展示されていたか、どれくらいのサイズのモニターやスクリーンで映し出されていたか、などで見る人の印象は全く違ってきます」

――個別意見で「あいトリから撤退するというのも一つの選択肢である」と大胆な提言をされていますね。

「芸術祭で扱われる作品は、今、私たちと同時代に生きている作家によるものなので、宗教や政治に全く影響されないということはありえません。『宗教的又は政治的意図』があることを理由に、愛知から世界に発信すべき作品が展示される機会を奪われるくらいなら、あいトリから撤退し（山本座長がおっしゃるような）『芸術を皆さんで一緒に楽しむという比較的平和的な催し』をやればいいのではないか、という意図です」

名古屋市が全面敗訴

あいちトリエンナーレ実行委員会が名古屋市に負担金の未払い分（三三八〇万円）の支払いを求めて二〇二〇年五月に提訴してから二年。名古屋地裁が言い渡した判決は、名古屋市の全面敗訴だった。

二二年五月二五日。岩井直幸裁判長は「芸術活動を違法だと軽々しく断言できない」などとして、あいトリ実行委員会の請求通り全額を支払うよう市に命じた。

あいトリ実行委員会は裁判で、負担金は市も参画しているあいトリ実行委員会運営会議で議決して市が交付を行政決定したもので、あいトリは七五日間の会期を全うして開催の意義は十分に達成されたので、市が負担金の全部または一部を取り消すことができると定めた、あいトリ実行委員会規約にある「負担金の交付決定後、事情の変更により特別の必要が生じたとき」には当たらないと主張した。

これに対して市は、あいトリは県と市が共催する「公共事業」で、「表現の不自由展・その後」に展示され、抗議が殺到した三作品は多くの鑑賞者に不快感や嫌悪の情を催させる「ハラスメント」性が強く、「反日」に偏っていて政治的中立性を欠き、公共事業としての適合性に著しく反していると反論。そのような展示に負担金を交付することは、地方財政法二条（地方財政運営の基本）や地方自治法一条の二（住民の福祉の増進）などに違反し、「事情の変更により特別の必要が生じたとき」に当たるため、負担金の減額変更は適法だとして両者の主張は真っ向から対立した。

岩井裁判長は、名古屋市が主張する独自の「公共事業論」について、「（あいトリは）公的な側面がある催し物であることを否定できない」としながらも、あいトリ実行委員会が準備や運営を行なっていることなどから、「公共事業だとはいえない」と判断した。

また、抗議が殺到した不自由展の展示作品については「住民が多様な価値観を持ちながら共存している以上、表現活動に反対意見が存在することは避けられない」と批判が起こることにも一定の理解を示したうえで、「芸術活動は多様な解釈が可能なうえ、ときには斬新な手法を用いるので、鑑賞者に不快感や嫌悪感を生じさせる場合があるのは、ある程度やむを得ない」と指摘。「芸術活動の性質に鑑みれば、不快感や嫌悪感を生じさせるという理由で、ハラスメントなどとして芸術活動を違法だと軽々しく断言できない」とし、「『事情の変更により特別の必要が生じたとき』に該当するとは認められない」と市の主張を退けた。

さらに、「裏書き効果」についても言及した。これは、負担金を交付すれば作品の政治的主張を県や市が後押しする印象を与えかねないと河村市長が当初から訴えていたもので、裁判でも市の不交付理由の一つになっていた。岩井裁判長は「負担金は主催者であるあいトリ実行委に交付されるもので、不自由展自体や個々の作家に交付されるものではなく、参加アーティストや思想信条に対して何らかの見解（肯定や裏書き）を与えると一義的にいえない」と否定した。

判決に先立つ二一年一二月一三日に開かれた本人尋問には河村市長自身が出廷した。河村市長は「大村知事から『検閲ではないか』という批判を受けたという話があるが」という岩井裁判長の問いに「検閲なんて誤解ですよ。表現の自由の話じゃないですよ。そんなこと言ったら、オリンピックや名古屋まつり、アジア（競技）大会でも、反日プロパガンダや反日の展示が出てきても、何も言えないんですか、黙っとるんですか。それはおかしいでしょう」と色をなして反論する場面があった。

不自由展への抗議をきっかけに、旗振り役となった知事リコール運動が署名偽造事件に発展し、逮捕者まで出したことに続く「全面敗訴」。自身の主張がことごとく否定された形となった河村市長は「とんでもない判決。司法に対する市民の信頼が著しく揺らいだんじゃないか」と納得せず、五月三〇日、名古屋高裁に控訴した。

一方の大村知事も「署名の偽造・ねつ造事件も含め、河村氏には説明する責任がある」と追及を緩める気配はない。

東京藝術大学の毛利嘉孝教授（メディア・文化研究）は不自由展中止の影響を「ある種の自粛の雰囲気が広がった」と感じている一人だ。毛利教授は「河村市長をはじめとした政治家が騒いだり、右翼の人が妨害したりしたことで、美術館が忖度というか、政治的なテーマをあまり扱わなくなった、リスクを避けるようになった印象がある」と懸念を示した。それだけに今回の名古屋地裁判決を「自粛ムードが変わるきっかけになればいい。日本全体がとんでもないことになっているわけではなく、県も裁判所も常識的に判断できると判決は示した。美術業界はグローバルなので、国際的に評価されるのではないか」と歓迎する。

大村知事と河村市長が争う場は、名古屋高裁に移った。「宮本から君へ」をめぐる日本芸術文化振興会の助成金不交付決定の取り消しを制作会社が求めた裁判では、東京高裁は制作会社の訴えを認めた一審・東京地裁判決を覆した（第三章「補助金不交付　２『宮本から君へ』の助成金不交付」参照）。名古屋高裁には公正な判断を期待したい。

3　署名偽造とリコール 河村たかし名古屋市長インタビュー

筆者のインタビューに答える河村たかし名古屋市長＝2021年3月28日、名古屋市東区の同氏事務所で

「許せない犯罪」

国際芸術祭「あいちトリエンナーレ２０１９」（あいトリ）の企画展「表現の不自由展・その後」の作品は公共施設での展示にふさわしくなかったなどとして主催した実行委員会の会長を務めた大村秀章・愛知県知事へのリコール（解職請求）を求めた運動をめぐり、愛知県警は二〇二一年二月、地方自治法違反（署名偽造）容疑で強制捜査に乗り出した。

あいトリ実行委員会の会長代行を務めた河村たかし名古屋市長は、美容外科「高須クリニック」の高須克弥院長が会長を務めるリコール運動を担った政治団体「お辞め下さい大村秀章愛知県知事　愛知１００万人リコールの会」の応援団として加わり、高須氏とともに運動の顔となった。このため、河村市長に対しては政治的、道義的責任を問う声も強い。河村市長は、署名偽造事件とリコール運動について、どのように受け止めているのか。二一年三月、本人に直接、疑問をぶつけた。

――署名偽造疑惑は、二月一日に県選管が「約八三％が無効の疑いがある署名」と発表したことで急浮上しましたが、二〇年一二月の市議会でも二一年三月に市長選（四月一一日告示、二五日投開票）に立候補を表明した横井利明市議が市長に質問するなど、疑惑はかなり前から指摘されていました。署名偽造はいつ知りましたか？

河村たかし市長　僕は選挙管理委員会の判断をあんまり信用してないの。なぜかというと、二〇一一年二月に僕が主導した市議会リコール運動で市選管は、署名の二四％を無効と判断した結果、最初は必要な署名数に達しなかった。このときの同一署名の典型例は、世帯主が家族の分、喫茶店のマスターが常連客の分といった、本人の代理で書いたものだった。これに加えて選管の審査もかなり厳密だった。署名した本人が縦覧するなど審査に異議を申し出て、再審査で逆転。法定数に達して住民投票が実現し、リコールを成立させた経緯がある。そういう意味で、縦覧を経ていない今回の県選管発表をそのままは信じなかった。

簡単にはわからない生年月日を記入する欄がある署名簿の偽造というのは難しい。そんなバカなことがあるかと思っていたけど、知り合いの請求代表者の二人に東西の両区に提出された署名簿の閲覧をしてきてもらった。そしたら帰ってくるなり「いかん」と言うんですわ。どういうことだと聞くと、たとえば、「某町1丁目1番1号」「1丁目1番2号」「1丁目1番3号」――といった順にそれぞれ家族の名前が何らかの名簿を書き写したように、不自然に並んだ署名が大半だったという。署名が同一の人物によるものかどうかではなく、それ以上に明らかにおかしいことが一目でわかるほどだった。普通、議員の事務所にある名簿に住所はズラッと並んでおらん。

さらに、二〇人以上のリコール運動事務局関係者にも聞き取りしたところ、東京の業者から愛知県内の選挙人名簿を入手し、佐賀県で書き写したと聞いた。東京のある名簿業者に聞いたら、一件一〇円とか一五円で売っていると言っとった。だから、署名の偽造に確信を持ったのは、二月一五日でだいぶ後になってからだった。

――市長の事務所とリコール運動事務局の事務所は同じ町内です。なぜ、偽造に気づけなかったのでしょうか。政治家としての道義的責任はあるのではないですか。

河村氏 僕にしたって許せん犯罪だ。責任は感じている。名古屋市長としてというか、三四歳から七二歳まで落選含めて三八年間も政治家をやっていて、気づかなかった自分が本当に情けない。とくに市議会リコールを成立させている立場からすれば、気づけなかったのは大変申し訳ないと思う。

ただ、エクスキューズを一つ言わせてもらえば、犯罪行為というのは当然、隠してやるから本当に気づきにくい。僕の調査では、昨年（二〇年）一〇月初旬ぐらいに署名偽造に手を染めていたことが分かった。署名活動は八月二五日から始まったが、少し前くらいから会議にはどういうわけか、だんだんと呼ばれなくなっていた。最初のころは、市議会リコールのときは、こういうふうにやっていたとアドバイスするなど何度も打ち合わせもあった。知人の紹介で借りた事務所は近くてやりとりがしやすく、よかったと思ったが、その後は違う形式でやると言われ、事務局のメンバーも変わり、こちらの関係者も誰も呼ばれなくなった。

いまだからわかったことだが、河村事務所は、リコール事務局から意図的に遠ざけられたようだった。「電話に出るな」とか、「来させないでくれ」ということだったらしい。市議会リコールの経験から言うと、こういう運動というのはすぐに内部で喧嘩が始まるんですよ。あいつの態度が悪いとか。受任者からは署名簿を送ってくるのが遅いとか、届かないとか。署名したのを送ってきたとか。事務所に行ったところ、スタッフから「ありがとう」の一言もなかったとか。そういう苦情を秘書が細かく伝えたりしていたことも遠ざけられた理由の一つにあったかもしれない。

――リコール運動の顔ではあっても、河村事務所として署名集めの実務にはかかわっていないということですか。

河村氏　署名偽造をなんで僕が知らんかったかと言うと、内部の事情を聴いた一人が言っていたけれど、事務局側には「河村に署名偽造に気づかれると止められてしまう」という警戒心があったらしい。もし、気づいたら「バカ者。すぐに警察に自首せよ」と言ったと思う。そんなことをやって保守勢力の努力を潰すような行為は許せないからね。

「厳しい結果になると思ってた」

――署名偽造に手を染めるということはそれほど、署名の集まりが悪かったということですか。

河村氏　新型コロナウイルス感染拡大で、署名活動がスタート（二〇年八月二五日）する前から今回のリコール運動は、コロナだから「大変かな?」と思っていた。こんなことは、決して外部に向かって口にはしませんよ。選挙運動だって初めから当選は難しいなんて言わない。絶対当選するとしか。

なぜ、「大丈夫かな?」と思ったのかというと、市議会リコールでは市内のいろんなところで集会をようけやっていくわけ。そうやって署名活動を実際に行なう受任者を集めていく。人と会って話をしないとわからんわけで、みんなで集まって、家庭訪問して本当にアナログの極みで一人ずつ受任者を増やしていった。

それに市議会リコールでは、市議の報酬が高いとか市議会が市民税減税を否決したとか、割りとわかりやすいテーマだった。今度のテーマは思想ですから、対面で説明しないと難しいなと思っとった。それが十分できないでしょ。最初は八月一日の開始を目指したけど、七月三一日に事務所で何人かでコロナ中はやめましょうと高須克弥さんに進言した。そのときは、高須さんも受け入れてくれて、愛知県が八月六日に発令した独自の緊急事態宣言が解除（八月二四日）されるまで待ってくれたんですよ。

それから二五日に始めようとする前あたり、高須さんに四〇分ぐらい電話して、今回もコロナだからリコールはできんと再度、説得しようとした。そうしたら、高須さんは「僕はがんで体が悪い。命がもたん」というわけよ。それを言われたらさ、折れちゃったの。さすがに。「先生（高須氏）がそこまで言われるなら付き合いましょう」と。しかし、緊急事態宣言が解除されたといっても署名を集めるのはまだまだ苦しいと思っとった。

――実際、予想通りだったわけですね。

河村氏　いまは、ネット時代でしょ。市議会リコールのときにはなかったわけよ。例えば、応援者の中には何十万人ものツイッターのフォロワーを持っている人もいる。僕が一五万人だったかな。そういう応援してくれる人たちのを合わせて、一〇〇万人ぐらいいるとすれば、そのうち受任者が一〇万人集まれば、ネットの力でやれるのではないかという思いもあった。実際、すぐに二万七〇〇〇人くらいが集まった。ただ、愛知県の人はそのうち半分だということだったけど、それでもすごいなあ、と思ったね。一万三〇〇〇人だとしても従来のやりかたでそれだけの受任者を集めようと思ったら、えらい努力が必要で、頑張れば法定数を超えるかもわからんという期待は広がった。ところが報告があったこの数字も実際は半分どころか、わずか一割だったこともあとから聞いた。ネットで募った受任者は急に増えるけど、すぐにどーんと落ちる。

緊急事態宣言が解除されたといっても、受任者が家庭訪問に行くとやっぱり怒られてしまう。国を挙げて不要不急の外出を控えようと言っているときに各戸を回って「署名してください」とお願いすること自体が駄目なわけ。あるとき事務局で誰かが言っていたと思うけど、法定数に届くのは難しいから今回は諦めて、二回目を目指せばいいじゃないかと。そういう認識はあった。

――河村市長が市議会リコールで使った受任者名簿(約三万四〇〇〇人分)を本人の同意を得ないで大村知事のリコール事務局に提供したことが報じられています。受任者を依頼するはがきには「個人情報は上記団体外の第三者に開示提供せず、名古屋市政改革活動の目的に限定」と明記されています。

大村知事（右手前）には一瞥もくれず席に着こうとする河村市長＝2019年12月26日、愛知芸術文化センターで

河村氏　受任者名簿に記載された人たちには、「河村たかし、減税日本の政治活動に御支援頂いている皆様へ」として受任者になってもらえないか、という案内状を送ったのは確かだ。ただし、河村たかしと、受任者名簿を作成して管理している「ネットワーク河村市長」の連名で政治活動の一環としてだ。三万人に送って三〇〇〇人が受任者になってもいいという返信があった。名簿から消してくれと言ってきたのは一〇人ほど。そのうち、勝手に送り付けられたと怒った人は一人、二人。ほとんどが転居や亡くなったということが理由だった。この名簿は、市長選や衆参選挙時の推薦はがきにも使っている。ただ、名前を書いて

郵送する負担が大きいので今回は、リコール事務局に代わりに行なってもらっただけだ。だから、指摘を受けたような本人の同意なく第三者に提供したということにはならない。

個人情報保護法は、政治団体が政治目的で利用する個人情報について、個人情報取扱事業者の義務の適用を除外している。もちろん、受任者名簿を署名簿に直接書いたり、直接受任者になんかしたりしていません。そういうことはやってはいかん。ただ、「リコール事務局に貸し出した」という言い方を最初にしてしまったのは、正確でなくまずかった。

どうも署名偽造に使われた何十万という名簿があるとすれば、河村事務所だろうという記者たちの想像の話がきっかけで質問も受けたことが発端だったようだ。今回、偽造された署名には死亡していた約八〇〇〇人分の署名あったようだが、今回の受任者名簿は、名古屋市の有権者のみであるし、随時更新しているので、亡くなった方が紛れることはない。書き写された名簿とは全く関係ない。

――河村市長は衆議院議員時代に「国会議員特権、厚遇だ」として議員年金の廃止を訴え、二〇〇六年に実現しています。三月の市議会で横井市議が河村市長が議員年金を受け取っていることを取り上げ、大村知事も「政治家の資格はない。ただちに辞職すべきだ」と批判しました。

河村氏　公職選挙法一九九条の二は、「公職の候補者等の寄附の禁止」を定めている。衆議院事務局議員課によると、年金を請求しないことで時効になると、国への寄付行為とみなされる可能性があるという。そうすると、一時金か年金方式のどちらかを選択しなければならない。一時金もすごい議員特権。だから、自分の年金は市長になってしばらくして、金融機関に積み立ててきた通帳の写しをネットで公開しているし、毎年四月になると、記者クラブにも配っとった。いまでは一八〇〇万円くらいになった。政治家を退いたら寄付するつもりだ。積み立ては、公選法違反を回避する方法で、大村知事の発言は事実誤認に基づくもの。公開質問したが、回答は来なかった。

あいトリ実行委員会から名古屋市が訴えられた裁判の第1回口頭弁論を終え、並んで取材に応じる高須克弥氏（左）と河村たかし市長＝2020年8月5日、名古屋市中区で

「不自由展は表現の問題でない」

——最後に大村知事に対するリコール運動の

きっかけとなった「表現の不自由展・その後」についてお尋ねします。展示された作品について河村市長は「平和の少女像」だけでなく、コラージュした昭和天皇の肖像を燃やすシーンを収録した映像作品「遠近を抱えてＰａｒｔⅡ」の展示についても問題視しています。なぜですか。

河村氏　「遠近を抱えてＰａｒｔⅡ」について大村知事は、フジテレビの「日曜報道　ＴＨＥ　ＰＲＩＭＥ」(一九年一〇月六日放送)で、「県庁は一切あずかり知らぬところで勝手に申し込まれた」とし、「契約違反、と言わざるを得ないと私は思っています」と発言している。知事は番組内で「展示をやめさせたら典型的な事前検閲になって訴えられる。表現の自由とか検閲という話になってくると、政治家は腰が引けちゃう」とも言っているが、今回の問題は、公共事業における運営の適正さの議論。表現の自由の問題じゃない。

(二〇二一年三月二八日に名古屋市東区の河村たかし名古屋市長の事務所でインタビュー)

略歴

かわむら・たかし　名古屋市長　一九四八年、名古屋市生まれ。一橋大学商学部卒。九三年、日本新党から衆院旧愛知一区で初当選。九八年、民主党入党。五期連続当選。二〇〇九年四月に名古屋市長に初当選。一〇年四月に地域政党「減税日本」結成し、代表に就任。一一年一月に辞任し、二月に再選。現在四期目。

第５章

広がる表現の不自由展

大音量で「表現の不自由展反対」を叫びながら、ノロノロ運転で進む街宣車とやめさせようとする大阪府警の警察官＝2021年7月16日、大阪市中央区のエル・おおさか（大阪府立労働センター）前で

中止と開催

二〇二一年夏、旧日本軍の「慰安婦」を象徴した「平和の少女像」や、戦後も中国に残った元「慰安婦」の朝鮮人女性の写真などを各地で展示する予定だった「表現の不自由展」は大きく揺れた。

「東京展」（六月二五日～七月四日）は、開催が報道発表されると、予定していた民間施設の会場周辺で街宣車や拡声器による妨害活動が起きた。住宅街にあり、「近隣への迷惑」を理由に会場利用が拒まれた。別の展示会場での開催が発表されたが、最終的には同様の理由で貸りられず、延期に追い込まれた。「名古屋展」（七月六日～一一日）では、開幕三日目（七月八日）の朝に届いた郵便物を開封すると破裂する事件があり、会場となった施設の設置者である河村たかし名古屋市長の判断で「臨時休館」の措置が取られたまま事実上、二日間で中止となった。「大阪展」（七月一六日～一八日）ではこうした事件を受けて「会場の安全確保が困難」だとして、府の施設の指定管理者が利用許可を取り消した。しかし、大阪地裁、同高裁が府の施設であることを踏まえ「表現の自由の不当な制限」として会場の利用を認め、最高裁で司法判断が確定。全三日間の開催に漕ぎ着けた。

延期となった東京展は九カ月後の翌二二年四月二日から五日まで東京都国立市の施設でようやく開催することができた。主催者たちは妨害行為をどのように乗り越えていったのか。

郵便物から破裂音

「名古屋展」、正式名称は「私たちの『表現の不自由展・その後』」がスタートしながらも中止に追い込まれるまでの経緯をたどってみる。

七月八日午前九時半過ぎ、名古屋市中区の「市民ギャラリー栄」宛ての封筒を職員が開けようとしたところ、爆竹とみられる物が破裂した。職員にケガなどはなかった。差出人に右翼を思わせる団体名があったため不審に思った職員が警察官立ち合いのもと、開封した。不自由展中止を求める文書も添えられていた。

ギャラリーを設置する名古屋市の河村たかし市長は八日午後三時ごろ、報道陣の取材に応じ、「施設や利用者等の安全を確保するため」として同展会期末の一一日までの「臨時休館」を発表した。警備を強化しての再開を検討しないのかと問う記者の質問に対し、「あいちトリエンナーレ２０１９」（あいトリ）の「表現の不自由展・その後」での抗議は「ガソリンを持っていく」などの脅迫にとどまっていたことを引き合いに出し、「今回は実行行為に及んでますからね。こんなときに漫然と続けとってええの」と逆質問するほど休館の意志は固かった。筆者は「犯罪行為が行なわれたことで市が休館したということは、テロに屈したことになり、同じような行為を誘発するのでは」と問いかけたが、河村市長は「市民を守ることがテロに屈したなんて、そんな論理はありえんですよ」と意に介さなかった。

名古屋展を企画したのは、一九年に不自由展の再開を求めて活動した市民団体「『表現の不自由展・その後』をつなげる愛知の会」。少女像や昭和天皇のコラージュを燃やすシーンを収めた映像作品、元「慰安婦」の写真作品も展示した。同会の高橋良平事務局長は七月九日午前、抗議要請書を市に手渡し、「公共施設での表現の自由がずっと問われてきたので今回の展示を企画した。行政が毅然とした態度を示さないと、同じようなことが繰り返される。気に入らないことがあったら潰せる、そんな世の中にしてしまっていいのか」と早期の再開を訴えた。

会場前では、開催に反対する排外主義団体のメンバーが大音量スピーカーで声を張り上げた。そんな圧力の中でもたった二日間だったが、八〇〇人余りが来場した。同市の女性(四七)は「少女像は優しい表情で作者の意図が伝わってきた。何でもない少女をどうして反日と批判するんだろう」と首を傾げた。同じフロアでは九日から、「反移民」などを掲げ

会場に送り付けられた郵便物が破裂し「臨時休館」を決めた名古屋市に再開を求める市民団体のメンバーたち＝2021年7月9日、名古屋市・三の丸の市役所で

る政治団体関係者が「美術展」を予定していたが、休館で中止になった。

「愛知の会」は七月一一日に出した声明で「公共施設における表現の自由を回復させる義務が、名古屋市にはある」と指摘したが、市は否定的だ。「市民ギャラリー栄」が入居する建物には市の中区役所も入っており、ギャラリー休館中も他の階での市の業務は通常通り続けられていた。主催者が納得できないのも当然だ。

河村市長は、七月一九日の記者会見でも再開の可能性について「捜査中だし、実際に危ないことが起きた」

と応じなかった。

後述するが、名古屋市の次に予定された大阪展では裁判の末、警察による厳重な警備の中で開催に漕ぎ着けた。名古屋と大阪でどれほどの違いがあったのかは分からないが、それを主催者に説明する責任は名古屋市側にある。

ただ、河村市長が市の施設で、大村知事のリコール運動に乗り出すほど反対した「少女像」の展示を認めたのは、意外だった。河村市長は六月二一日の記者会見で「あれ（表現の不自由展）はいわゆる展示だけです。（市が）制作費を出すわけでもありませんし、税金を建物としては出しておりますけど、出すわけでもない。主催事業でもありません。パブリック・フォーラムの原理というのがありまして、公共的なところはより多くの人に使ってもらいなさいと。特段の事情がない限り許可しないといけないというのは最高裁の判例も出ている」と述べている。

朝日新聞名古屋本社版の記事（六月一九日、同二五日朝刊）によると、同じ時期に「市民ギャラリー栄」では「あいちトリカエナハーレ」という催しを「反移民」などを掲げる政治団体の関係者らが開くことになっていた。名称からみても「少女像」が展示された「あいちトリエンナーレ」への対抗と抗議を込めた催しであることが容易に想像できる。

同様の催しが一九年に愛知県女性総合センターで開かれた際に、大村知事が「明確にヘイトに当たるのではないかと思います」と述べた経緯がある内容の展示だ。河村市長はなぜ、今回の「不自由展」開催を認めたのか。ひょっとしたら、「トリカエナハーレ」の開催と関係があるのか。筆者は河村市長に直接、理由をたずねたが記者会見と同じ内容しか明かしてもらえなかった。

ただ、気になる発言もある。

河村市長は利用許可を出した理由を「（市民ギャラリー条例には）政治的に偏っていたり、宗教的なものについて使用を拒否する規定はない」と説明してきた。この点について記者会見では「政治的、宗教的には偏ってないことというか、そういうような規定を持ってるところ（自治体）結構あるんだね。だからその辺のところをちゃんと調べて、公平にできるように勉強させていただく」と言及している。条例改正を視野に入れた発言と取れなくもない。利用許可が条例改正の布石でないことを祈りたい。

一方、大阪市中央区の府の施設「エル・おおさか」（大阪府立労働センター）の大阪展（正式名は「表現の不自由展かんさい」、七月一六日～一八日）は、東京、名古屋を加えた三カ所では唯一、最終日まで開催された。しかし、他の会場同様に開幕前から抗議が寄せられ、開幕直前には脅迫文が届いたり、展示が始まると、不審な郵便物が送りつけられたりした。会場周辺では大阪府警が警備し、反対する人たちと支持する人たちが対峙するなかでの開催だった。

しかし、開催にたどり着くには大きな壁をはねのける必要があった。施設の指定管理者が開幕三週間前の六月二五日付で利用承認を取り消したのだ。各紙の報道によれば、この施設では南京事件や「慰安婦」問題などいわゆる歴史認識にかかわる展示はこれまでもあり、抗議を受けることもあったが取り消しは初めてという。

吉村洋文知事は六月二六日に記者に対して「大阪府の主催でもなければ公金を投入するものでもない。基本的には表現の自由がある中での活動だ」としながらも「安全な施設管理運営が難しい。取り消しには賛同している」などと述べたという。

大阪展の主催者である「表現の不自由展かんさい」実行委員会は六月三〇日、指定管理者を相手取り、会場の使用を求めて大阪地裁に利用承認取り消し処分の執行停止を申し立てた。大阪地裁（七月九日）は「警察の適切な警備などによってもなお混乱が防止できないなど特別な事情はない」と会場の使用を認める決定を出し、大阪高裁（一五日）、最高裁（一六日）も指定管理者の即時抗告、特別抗告を退けた。吉村知事側の完敗である。公共施設での東京展の開催につながる可能性を示したとも言えた。名古屋展で会場となった「市民ギャラリー栄」は市、大阪展の「エル・おおさか」は府の施設だった点が、民間施設を会場とした東京展との大きな違いだからだ。公共施設の管理者は、もはや不自由展を断る理由がなくなったようなものだった。

完全開催できた大阪展

筆者が、開幕日の七月一六日、大阪市中央区の「エル・おおさか」を訪れると、警備の警察官の多さに圧倒された。

大阪展の直前に中止となった「名古屋展」の会場を警備していた愛知県警の警察官と比べても明らかに多い。窓に金網を張った警備車両も複数台が会場ビルに横付けされ、抗議車両の進入を防ぐためだろうか、車止めも置かれている。

入場を待つ長蛇の列。午前一〇時開場なのに、同七時過ぎから並んでいた人もいるらしい。報道陣向けの内覧会に向かう。一階フロアに長机が置かれ、金属探知機を使った手荷物検査を受ける。慣れない手つきだ。聞くと、府の職員だという。

会場は二つの部屋から成る。入り口側の大部屋には、過去の不自由展に展示されていなかった作品が多く並ぶ。奥の小部屋には、あいトリで抗議が集中した「慰安婦」をモチーフにした「平和の少女像」、昭和天皇のコラージュを燃やす場面が含まれた映像作品「遠近を抱えてＰａｒｔⅡ」などが展示されていた。

内覧会に先立ち、主催する実行委員会メンバーが少女像の横であいさつした。

「初めて（少女像に）会ったとき、この少女が何で『反日』なんだ、少女の顔を、眼を、握りこぶしを見てもらったら理解してもらえるんじゃないかなと思って。だから今回は、皆さんにまずは見てもらって、そこから考えてもらいたい」

不自由展を企画したきっかけは、一九年にあったあいトリでの不自由展が開幕（八月一日）からの三日間と再開（一〇月八日）から閉幕（同一四日）までの六日間（台風接近により一日休館）しか開かれなかったうえ、入場も抽選でごく限られ、実行委員会のメンバーの多くが鑑賞できなかったからだという。見たいけど見られなかったという声もたくさん届いていたそうだ。

実行委員会からは、報道にあたってはメンバーの顔や名前を出さないよう配慮を求められた。「個人が特定されて、嫌がらせを受けたり、予期せぬ被害を受けたりする可能性があるので」。緊張感が伝わる。

「本当に私たちはドキドキしてました」。東京展の延期や、名古屋展の中止を見れば、開幕に漕ぎ着けた実行委員会メンバーがそう打ち明けるのも大げさではないだろう。

「大阪展」も開催までには、紆余曲折があった。会場の大阪府立施設「エル・おおさか」の指定管理者「共同事業体エル・プロジェクト」（一般社団法人大阪労働協会、大林ファシリティーズ大阪支店、コングレ）が、開幕三週間前の六月二五日、利用承認を取り消してきたのだ。実行委員会側は三月六日に会場利用を申し込み、承認を得ていた。

「エル・おおさか」側の説明によると、利用承認を取り消したのは、以下のような理由からだった。

▽実行委員会が不自由展の広報を開始した六月一五日以降、約七〇件の抗議の電話やメールが寄せられたり、街宣車による抗議活動が三件行なわれたりした

▽今後、こうした動きが激化することが予想される

▽実際に同展が開催されれば、反対する人たちが押し掛け、実行委員会メンバーとの衝突、混乱が予想され、利用者の「安全を確保することは極めて困難」

これらのことから、「府立労働センター条例」で「知事が利用承認を取り消すことができる」とされる「センターの管理上支障があると認められるとき」に該当するという。

これに対し実行委員会は六月三〇日、「エル・おおさか」側に会場の使用を求めて大阪地裁に提訴するとともに、利用承認の取り消し処分の執行停止、つまり、会場の使用を認めるよう申し立てた。同地裁（森鍵一裁判長）は七月九日、実行委に会場の使用を認める決定を出し、予定通り開催できる道が開かれた。

決定は「地方自治法が、公の施設の利用を広く認めるのは、設置者である地方公共団体等

による不当な利用制限が、住民に対する集会の自由や表現の自由の不当な制限につながりかねないからであると解される」「公の施設の利用を拒むことができる正当な理由があるといえる場合は、施設を利用させることにより、他の基本的人権が侵害されたり、公共の福祉が損なわれたりする危険がある場合に限られるべきである」と解釈。そのうえで「基本的人権たる集会の自由、表現の自由を制限することができるのは、公共の安全に対する明白かつ現在の危険があるといえる場合に限られる」と指摘した。

「エル・おおさか」側は、あいトリや東京、名古屋での開催にあたって激しい抗議活動が行なわれたことから、「生命、身体又は財産が侵害される明らかに差し迫った危険の発生が具体的に予見できる」と主張したが、これに対して同地裁は、あいトリで中断された不自由展が再開されたことなどを踏まえ、「直ちに、警察の適切な警備等によっても防止することができないような重大な事態が発生する具体的な危険性があるとまではいえない」と判断した。

決定はこうも言う。

「住民が多様な価値観を持ちながら共存している以上、広く住民に開かれている公の施設において、何らかの表現活動や集会をするについては、常に反対意見が存在することは避けられない」

不自由展の最終日、整理券の配布終了を知らせるスタッフ。路上には警備の警察官があふれていた＝2021年7月18日、大阪市中央区のエル・おおさか前で

公共施設の萎縮や事なかれ主義を戒めるメッセージではないだろうか。

この決定を受け記者会見した吉村知事は次のように発言した。

「内容に不服があるので、抗告することになると思う。施設に保育所もあり、乳幼児も使っており、労働相談もあり、施設利用者を守っていく役割を持っている。その中で今回の判断を考えると、利用の停止を判断する権限はあるんだろうと思っている」

吉村知事はさらに大阪展について

「表現の中身に入り込むつもりはない。あいトリと違って、府が主催するものでもないし、府が公金を投入しているものでもないので、中身についてどうかというのは違うと思う」と河村名古屋市長と同じような発言をしている。一方で「何が起きるかわからないと思っている。名古屋自体が中止になった。非常に危険なことが生じる可能性があると思う。子どもたち、乳幼児がそのリスクにさらされる、その責任を負わされることはおかしいと思う」と、同展が開かれる本館と隣接する南館にある保育ルームへの危険性を殊更に強調し、恐怖をあおるような発言に終始したのだった。

吉村知事の意を受けた「エル・おおさか」側は七月一二日、大阪地裁の決定を不服として大阪高裁に即時抗告した。高裁は開幕前日の一五日、大阪地裁の決定を支持し、抗告を棄却。施設側はさらに、最高裁に特別抗告したのだが、最高裁がこれを退ける決定を出し、決着がついたのは、開幕当日の一六日のことだった。

新型コロナウイルス感染拡大への対応で連日のようにテレビ番組に出演し、好感度を上げていた吉村知事。実行委員会側が府に対して行なった情報公開請求で開示を受けた公文書により、六月七日に担当部局からレクチャーを受けた席で既に、利用承認の取り消しに言及していたことが明らかになっている。そこには次のように書かれていた。

「保育所があるような施設で、こういったことが行なわれて本当に大丈夫なのか。愛知で起きたことを考えると、センターの安全管理に差し迫った危険が生じ、取り消し事由に該当するのではないか」「今後、指定管理者から利用承認を取り消したいとの報告があった場合に、府の態度を速やかに示すことができるよう、弁護士の意見を聞いておくこと」

弁護士出身ならではのもの言いで、利用承認取り消しに導くかのような発言がそこここに見てとれる。

実行委員会の中心メンバー、おかだだいさんに話を聞いた。おかださんは、開催への道を開いた大阪地裁の決定について「うれしかったけど、素直には喜べませんでした」という。なぜなのか。「名古屋と同じことが起こる可能性をすぐに考えました。開催当日、ここに爆竹を送って来られたら、吉村知事が『（開催を）止めろ』と言うんじゃないかなと」。

ところが、高裁が即時抗告を棄却した七月一五日から風向きが変わったという。

例えば、手荷物検査用の金属探知機の準備。「それまで『主催者でしてくれ』という話だったんですけど、（エル・おおさか側から）『うちでやります』と言われ、ちょっと拍子抜けしました。『やるからには三日間、安全にやり切りましょう』と言うてくれはったんで、信用しています」。

不測の事態に備え、会場には主催者側の複数の弁護士が張り付いた。「名古屋みたいに突発的なことが起きないとは限らない。気が抜けない」と来場者に目を光らせた。

名古屋展の「破裂物」を教訓に、エル・おおさか宛ての郵便物はすべて郵便局内でX線検査を行ない、不審なものは府警に届ける体制をとった。この対策が効果を発揮したのは開幕二日目の一七日。実行委員会宛てに爆竹と不自由展の中止を求める封筒が届いたが、郵便局から府警に届けられ、爆発物専門の警察官の手によって安全に開封された。実行委員会のメンバーも内容物を確認したという。

道路挟んで賛否両派が対峙

会場周辺では、道路を挟んで、「エル・おおさか」のビルの向かいの歩道から大音量のマイクを使い「お国に帰りなさい」「あなたたちは反社会勢力」「日本国民みんな怒ってるよ」とヘイトスピーチを繰り返し、不自由展に反対する団体のメンバーと、ビル側の歩道で「大阪地裁、大阪高裁、まっとうな判断をほんまにありがとう」「歴史を改ざんするな」――などと書かれたプラカードを無言で掲げて開催を支持する市民が対峙した。

右翼団体の街宣車の列が時折、大音量を立てながら周回してくる。ナンバープレートを見ると、神戸や京都、堺、和泉など、関西一円から集結しているようだ。

会場の警備に当たる実行委員会のメンバーの中には、普段からヘイトスピーチに対抗して路上に立つ「カウンター」として活動している人たちもいた。来場者の中にレイシスト（人種差別主義者）がいないかを注視し、そうした疑いのある人には説得して入場をあきらめさせるのだという。

屋外の喧騒とは対照的に静かな会場内で目を引いたのは、作業着などラフな格好に身を包んだスタッフの労働組合メンバーで、不審な来場者が来ると、時には複数人で近づいて警戒するのだという。

会場では、緊張する関係者を和ませるような場面もあった。孫と訪れたお年寄りの女性が「何も持ってきてへんから、アメちゃんあげる」と少女像にアメを供えたのだ。女性は「元気なうちに会えて良かったです」と感慨深げな様子を見せた。

開幕初日の七月一六日、会場で来場者に話を聞いた。堺市から来たという、高校三年の女子生徒（一七）は「作品を見て、何を思うかが大事だと思ったので」来場したという。「まずいと思った展示は自分の中ではあんまりなくて、表現として受け入れられる範囲かなと思いました」と言葉を選びながら語った。大阪展をめぐって、一旦出された利用承認が取り消されたが、裁判所がこれを否定した点については「公の施設が思想によって貸す、貸さないを決めるのはちょっとおかしいかなと思います」と話した。

神奈川県の大学三年生の女性（二〇）は予定していた東京展が延期になってしまい、大阪展が開かれることを知って来場したという。大学のゼミで表現の自由について学んでいるといい、「何で批判されているんだろう、行ってみれば分かるだろう、と思ったんですけど、批判される理由はやっぱり分からなかった」と率直な感想を述べた。

一七日夜には、会場とオンラインでトークイベントが開かれ、主催者がそれぞれの思いを語った。

実行委員会メンバーで在日コリアンの男性は「僕らにとって『表現の不自由』『表現の自由』という言葉はとってもしんどい言葉でもあり、重たい言葉なんです」と打ち明けた。不自由展の会場外で「朝鮮人は出ていけ」「こんなもん朝鮮人の、反日のイベントや」というヘイトスピーチを繰り返した人たちを例に挙げ、「あれが表現の自由なんですよ、日本では。あれが表現の自由と認められて、京都の朝鮮学校の子どもたちはヘイトスピーチの被害に遭ったし、鶴橋の在日の人たちは罵倒を繰り返されてきた」と訴えた。そして、「我々が語る『こんな日本でいいのか』という問いかけは、表現の自由に含まれていない。だから、表現の不自由なんですね」と続けた。この男性は「この間の不自由展の歩みは、反日か愛国か、右か左かという思想の対立ではない。あったのは、自分たちが思ってることを語りたいという思いと、それを暴力や威圧によって潰そうという人たちの姿。権利は声を出して守っていかなければならない」と参加者に呼びかけた。

最終日の七月一八日午前九時前、会場となったビルの前では、「すべての回、人数に達し、整理券は終了になっております」とアナウンスするスタッフの姿があった。新型コロナウイルス感染対策のため整理券を配り、一回の人数を五〇人に絞ったため、三日間で鑑賞できた人の数は合計一三〇〇人だった。

京都市から訪れた中学校の美術教師という女性は、整理券を手に入れられず、「バンクシー（社会風刺で知られる英国の覆面芸術家）は評価されるのに、日本で同じことをやってもダメと言われる」と不自由展が攻撃にさらされることを嘆き、一緒に訪れた京都府長岡京市の女性も「こういう展示がいろんな所で普通にできひんといかんのに」と悔しがった。

「表現の不自由展かんさい」実行委員会のおかださんは、「単純にやり遂げられたということが大きな成果。東京展延期、名古屋展中断、と、ずっとそんなことが続いてたんで、成功体験を得られたということが大事なことかなあ。できるなら、一週間ぐらいは開催したかった」と振り返る。

「最高裁で『施設を貸さなくちゃいけない』ということが確定した意義は大きい。他の都市でもいろんな理由をつけて貸してくれないという現実もあったので、少なくとも公的な施設に関して『それは違うんだよ』と確定させることができたのは今後、不自由展を各地で継続するにあたっての大きな成果だと思う。東京展や名古屋展は終わっていないので、次につなげられるじゃないですか」。

東京展は延期に

東京展は二一年六月二五日～七月四日の日程で新宿区の民間ギャラリー「神楽坂セッションハウス」で開かれるはずだった。しかし、六月一〇日に実行委員会が東京での表現の不自由展の開催を報道発表すると、「あいちトリエンナーレ2019」(あいトリ)と同様、会場側には脅迫メールなどが送り付けられたり、会場周辺の住宅地に街宣車も押しかけたりするなど中止を求める抗議活動が行なわれ、ギャラリー側から「近隣への迷惑」などを理由に会場の貸し出しを拒まれた。いったん、別の会場での実施を模索したが、実行委員会は最終的には「東京展」の開催自体を見合わせざるを得なかった。

「あいトリ」での展示で、激しい憎悪の標的となった主な作品は、「少女像」と、大浦信行氏の版画「遠近を抱えて」でコラージュした昭和天皇の肖像を燃やすシーンを収録した映像作品の「遠近を抱えてPartⅡ」(二〇分)の二点。「東京展」では、「PartⅡ」の展示はなかった。実行委員会は「一人一点を原則とし、作家も了解している」と説明した。二二年四月に「東京2022」として実現した東京展では「あいトリ」で出品された一二組を含む一六組の作家の作品が展示された。このためか、筆者が訪ねた初日(四月二日)に会場の周辺で行なわれた反対する人たちによる抗議の矛先は、もっぱら「少女像」に向けられていた。

「東京展」の開催に反対する人たち＝2022年4月2日、東京都国立市の「くにたち市民芸術小ホール」前

「東京展」をめぐっては連日、一〇〇人を超える警察官らが会場周辺を警備し、開催に当たって国立市や警察が二〇台以上の監視カメラを新たに設置したり、手荷物検査を実施したりしたこともあって、会場内で懸念された騒ぎや、不審物が送り付けられるなどの大きな混乱もなく閉幕日を迎えられた。

国立で1600人が来場

東京展の実行委員会の説明によると、「くにたち市民芸術小ホール」を会場に選んだ理由は、大阪展に絡んでの大阪地裁・高裁の決定の効果を踏まえて、公的な施設での開催に絞り込んだからだという。「芸小ホール」は、国立市の施設で、指定管理者の「公益財団法人くにたち文化・スポーツ振興財団」が運営。開催にあたって実行委員会は、市と「くにたち文化・スポーツ振興財団」、立川警察署と協議を重ね、近隣の学校行事等への配慮や、入場者数の制限、手荷物検査などを実施することになった。

また、チケットの購入の際には▽参加登録への虚偽の内容の記載・申告、参加登録の偽造、▽平穏な鑑賞の妨げになる行為、▽作品を毀損するおそれのある行為、▽本展覧会の運営・開催を妨害すると実行委員会が判断した一切の行為――など禁止ルールへの同意を必要とした。違反者は会場への入場が拒否されたり、退去を命じられたりする可能性があるという。

購入するには、ネット予約システムの「Ｐｅａｔｉｘ」による予約が必要でこれもハードルの一つとなった。一コマ（五〇分）ごとの入れ替え制（定員四〇人）で、四日間で計三九コマを設けた。入場料は一〇〇〇円。

実行委員会は二二年三月二五日に出した声明で「ロシアでは今、戦争反対の声を封じ込める言論統制が厳しくなっています。そんな今こそ、表現の自由の大切さを改めて確認したいと思っています」「私たちは、平穏に芸術鑑賞の機会を提供したいだけです。誹謗中傷や差別的な言動、大音量などで周囲に精神的・肉体的な負担をかけるような行為は、絶対に止めていただきたいと思います」「違法な行為に対して私たちは、今後とも断固とした対応をとります」と表明した。

二一年六月に延期となった東京展に絡んで脅迫メールを受け取った実行委員は被害届を提

「東京展」では、警察や国立市が 20 台以上の監視カメラを新たに設置した＝ 2022 年４月６日、東京都国立市の「くにたち市民芸術小ホール」前で

出した。会社員の男が逮捕され、罰金刑が確定したという。

市「不当な差別あってはならない」

国立市や、くにたち文化・スポーツ振興財団も相次いで見解を出した。市は三月三〇日付でホームページに「施設利用については、内容によりその適否を判断したり、不当な差別的取り扱いがあってはなりません。これは、アームズ・レングス・ルール（誰に対しても同じ腕の長さの距離を置く）と、同じ考え方です。市としましては、多様な考え方を持ったそれぞれの市民・団体が、法令に従い実施する様々なイベント・活動の場として、公の施設の利用は原則として保障されるべきものと考えています」との見解を発表。これとは別に市は「他府県で実施された同内容の展示会の実績から、会期中は、混乱が生じることも予想されます。そのため、施設の管理者である公益財団法人くにたち文化・スポーツ振興財団及び国立市教育委員会は、立川警察署の協力をいただきながら、安全策を講じてきております」と市による取り組みへの理解も求めた。

くにたち文化・スポーツ振興財団も三月三〇日に出した見解で、「申請書を確認したところ、不承認事由は認められませんでしたので、利用承認いたしました。なお、利用承認に当たって、当財団は展示内容について関知しておりません」と説明した。

東京展の期間中に実行委員会が受けた抗議電話は数件にとどまり、愛知県の他の部署にまで抗議電話があふれた「あいトリ」での様相とは大きく異なる結果だった。

その理由について実行委員会側は、東京の実行委員会メンバーに脅迫メールを送り付けた男が逮捕されたり、大阪での展示で『サリンをまく』などとSNSに投稿した男が書類送検された事件が大きく報じられたりしたことが、抑止効果になったのではないかとみている。

会場の出入り口には来場者が感想や意見などをカードに書き込んで、壁に張り付けられるコーナーが設けられた。

「あいトリに三回行きましたがやっと会えました『平和の少女像』‼　表現の自由を取り戻しましょう‼」「何故、この程度で大騒ぎする人がいるのか」「ロシアの国内情報統制をみて、今こそ表現の不自由が問われるとき」「今の日本の状況そのものの展示ですね」

「あいトリ」でも「表現の不自由展・その後」の展示が中止となった後に会場に続く扉や壁にこうしたメッセージカードを貼り付ける運動を作家らが起こした。鑑賞できない人々がその思いを綴り、最後にはその扉をこじ開けることにつながった光景と重なった。

課題は過剰警備

東京展は、何事もなく閉幕日を迎えたが、「過剰警備」が課題として残ったという。

実行委員会によると、開催にあたって市が一八台、警察が三台の監視カメラを芸小ホール周辺に増設した。事件が起きなかったことから、今後はどの段階でどのように記録されたデータを消去するかが議論として残り、実行委はデータ消去の際の立ち合いを求めたという。また、芸小ホールのスタッフを装った警察官による会場内への立ち入りについて、実行委は合意していないとして立川署や警視庁に抗議した（増設した監視カメラはその後、撤去し、撮影データも消去されたという）。国立市によると、これほどの警戒態勢を敷いたのは初めてといい、市は「今回の対応を記録としてまとめ、今後の参考にしていきたい」（市長室）という。

二〇二二年、表現の不自由展は東京のほか、京都（八月）、名古屋（同）、神戸（九月）で開催された。そもそも警察による厳重警備がないと開催できない社会こそが異常なのだ。

「不自由展かんさい」実行委員会メンバーのおかださんの言葉を共有したい。

「いろんなイベントを企画したことはありますけど、こんなしんどい思いをしたのは初めて。『美術展くらい普通に開かせてよ』って、今でも悶々としています」。

あとがき

「不自由」な国ニッポン

あの騒動から三年。八月に京都市内で開かれた「表現の不自由展・京都」を訪れた。府警は会場につながる辻々にジャバラ式の「バリケード」を用意、時には道路を通行止めにし、開催に反対する街宣車を会場に近づけないようにしていた。主催者によると、七月八日の安倍晋三元首相銃撃事件後、ゲート型金属探知機を設置することになったという。

バリケード封鎖された交差点で四人の大学生二回生が警察官に囲まれ行く手を阻まれていた。これから不自由展を見に行くという女性のシャツには「BLACK　LIVES　MATTER」の文字。米国在住経験から、「日本では何でそこまで（表現を）排除したいのかな。どんなアートにもどこかに政治性はある。きれいな絵だけ見たいとか、人間の汚い面から目をそらすのはどうなのかな」と問いかけられた。

昨夏の中断を乗り越え八月「再開」された「名古屋展」も厳重な警戒の下で行なわれた。

会場で会った大学三年生の女性は、会場にたどり着くまでが「めっちゃ怖かった」という。「私は戦争とか、慰安婦のことをよく知らなかったけど、こうやって実際に触れられる機会のおかげで、本当にあったんだ、そんなことしちゃダメだって感じることができた」

曇りない目で学ぼうとする若者たちを阻もうとする大人たち。この国はどうしてこのように「不自由」になってしまったのか。それを解決するヒントがこの本には詰まっている、そう信じて筆を置きたい。

二〇二二年一〇月

井澤　宏明

歴史修正主義の終焉

「なーんだ、こんなものか」。「表現の不自由展・その後」実行委員の永田浩三氏は、「平和の少女像」の目の前に立った河村たかし名古屋市長が大きな声でそう口にしたのをすぐそばで聞いていた。市長は担当のキュレーターに展示の意図などについて詳しく説明を求めることもないまま数分で立ち去った、という。「慰安婦」をめぐる歴史認識を問う論戦は、市長と実行委員会側の間ではこの時、生まれなかった。なぜなのか。長い間の疑問を今回、永田氏にぶつけた。

「河村市長は少女像を批判するために来ました。私から積極的に説明したところで思い込みを変えることはできないでしょう。表現の不自由展そのものを続けさせないという雰囲気があり、火に油を注ぎたくもありませんでした。自己満足で市長をやりこめることはできたかもしれませんが、たくさんの人がかかわるあいちトリエンナーレの企画です。力関係が全く違う中で、論争が裏目に出るのが怖かったということもありました」

河村市長を迎え撃ってほしかったという気持ちは変わらなかった。

その後の表現の不自由展は市民の力も得て、警察の厳重な警備下とは言え、各地の公立施設での開催を実現している。また、「慰安婦」論争を取り上げたドキュメンタリー「主戦場」の出演者がミキ・デザキ監督らを相手に起こした裁判では二〇二二年一月の一審に続き、同年九月の控訴審でも監督側が勝訴した。歴史を再修正する流れが生まれ、その先に見えて来るのが歴史修正主義の終焉であってほしい。

最後になるが、本書の出版を快諾していただいた緑風出版の高須次郎さんに感謝を申し上げたい。また、編集では斎藤あかねさん、高須ますみさんに大変、お世話になった。

二〇二二年一〇月

臺　宏士

「表現の不自由展」をめぐる出来事

二〇一二年
五月　新宿ニコンサロンで予定していた安世鴻氏の写真展「重重　中国に残された朝鮮人日本軍『慰安婦』の女性たち」をめぐり、ニコンは「政治性」を理由に中止通告。
六月、東京地裁が施設の使用を命じる仮処分を決定。

二〇一五年
一月　「表現の不自由展～消されたものたち」（東京都練馬区・ギャラリー古藤）開催。

二〇一九年
七月三一日　中日新聞と朝日新聞が同日朝刊で「表現の不自由展・その後」に「平和の少女像」が展示されることを初めて報じた。
八月一日　「あいちトリエンナーレ2019」が開幕。
二日　あいトリ実行委員会事務局が朝、ガソリンテロを予告する脅迫ファクスを発見。
河村たかし名古屋市長（あいトリ実行委員会会長代行）が「表現の不自由展・そ

の後」を視察し、大村秀章・愛知県知事（あいトリ実行委員会会長）に展示中止を求める。菅義偉官房長官が記者会見であいトリへの国の補助金交付について「精査する」などと述べ、不交付を示唆。

三日　あいトリ実行委会長の大村秀章・愛知県知事と津田大介芸術監督が、不自由展を三日までとすることを合意、記者会見で発表。「表現の不自由展・その後」実行委員会は中止決定に抗議し、再開を求めて法的手段に言及する声明を出した。

七日　愛知芸術文化センター内で、「ガソリンだ」と叫びながら液体をまいて暴れた男を警察が現行犯逮捕。脅迫ファクスをした男も逮捕された。

一二日　あいトリに出品する海外の作家ら一〇人が表現の不自由展・その後の中止を非難する書簡を発表（その後、三人が加わる）。作品の展示を取りやめたり、内容を変更したりする作家は一四人に上った。

九月一〇日　日本外国特派員協会で、あいトリ参加作家有志が記者会見し、すべての展示再開を目指すプロジェクト「ReFreedom＿Aichi」の始動を発表。

一三日　表現の不自由展実行委員会があいトリ実行委員会を相手取り、展示再開を求める仮処分の申し立てを名古屋地裁に行う。

二五日　愛知県の検証委員会が中間報告をまとめ、不自由展は「再開されるべき」と提言。
大村知事が記者会見し「再開目指す」と表明。

二六日　文化庁、あいトリへの補助金全額（七八二九万円）不交付と発表。

三〇日　不自由展を再開する方向で、不自由展とあいトリの両実行委員会が和解。

一〇月八日　表現の不自由展が再開。しかし、あいトリ実行委員会は入場抽選制としたほか、展示会場内の取材や撮影、報道の規制を敷いた。

一四日　「あいちトリエンナーレ2019」閉幕。過去最多の六七万人超が来場。

一一月八日　「ReFreedom＿Aichi」が呼びかけて集まった補助金不交付撤回を求める署名一〇万筆超を文化庁に提出しようとしたが、宮田亮平長官との面会がかなわず取りやめ。

二〇二〇年

三月二三日　文化庁、あいトリへの補助金を減額（六六六一万円）して交付すると発表。

二七日　名古屋市の検証委員会がトリエンナーレの負担金の未払い分三三八〇万円の「不交付はやむを得ない」とする報告書をまとめる。河村市長は支払わない方針を明言。

五月二一日　あいトリ実行委員会、未払いの負担金支払いを求め名古屋市を提訴。

六月二日　美容外科医・高須克弥氏が政治団体「お辞め下さい大村秀章愛知県知事愛知100万人リコールの会」を設立。会見には百田尚樹、有本香、竹田恒泰、武田邦彦の各氏らが同席し賛同を表明。河村市長も高須氏支援を表明。

二〇二一年

二月一日　県選管が大村知事リコール署名のうち、約八三％に無効の疑いと発表。

二月一六日　署名偽造のために佐賀市で大量のアルバイト動員、と中日新聞と西日本新聞が報道。

五月一九日　リコール署名偽造で愛知県警が政治団体事務局長ら四人を地方自治法違反（署名偽造）容疑で逮捕。

六月　東京都新宿区のギャラリーで予定されていた「表現の不自由展・その後　東京ＥＤＩＴＩＯＮ＆特別展」（二五日〜七月四日）が街宣車などの抗議活動により延期となる。

七月　名古屋市の施設で開かれた「私たちの『表現の不自由展・その後』」（六日〜一一日）が開幕三日目、ギャラリーに送られた郵便物破裂により「中断」。「表現の不自由展かんさい」（一六日〜一八日）が大阪市の府の施設で開かれる（施設の指定管理者は、安全確保が困難なことを理由に使用を取り消したが、裁判所は認めなかった）。

二〇二二年

四月　「表現の不自由展　東京２０２２」（二日〜五日）が東京・国立市で開かれる。

五月二五日　名古屋地裁が名古屋市に不払いの負担金をあいトリ実行委員会に支払うよう命じる判決。

八月　二一年七月に名古屋市で中断したままだった「私たちの『表現の不自由展・その後』」（二五日〜二八日）が厳重な警察の警備の中で前回と同じ市の施設で催された。市長の事務所や市役所、会場を運営する団体に不審な郵便物が三通届く。「表現の不自由展・京都」（六日〜七日）が京都市内で開かれる。

九月　「表現の不自由展ＫＯＢＥ」（一〇日〜一一日）が神戸市内で開催される。

[著者略歴]

臺　宏士（だい　ひろし）

ライター、メディア総合研究所の機関誌『放送レポート』編集委員、特定非営利活動法人報道実務家フォーラム副理事長、新聞労連ジャーナリズム大賞選考委員。1990年毎日新聞社入社、2014年フリーに。

著書に『報道圧力　官邸VS望月衣塑子』『アベノメディアに抗う』『危ない住基ネット』（いずれも緑風出版）、共著に『メディア、お前は戦っているのか　メディア批評2008―2018』（岩波書店、著者の「神保太郎」は共同筆名）『エロスと「わいせつ」のあいだ　表現と規制の戦後攻防史』（朝日新書）など。20年春から「メディアウオッチ」（週刊金曜日）を連載。

井澤宏明（いざわ　ひろあき）

ジャーナリスト。岐阜県生まれ。同志社大学卒。1993年から読売新聞記者、2012年フリーに。

寄稿した記事に『住民を危機にさらすリニア中央新幹線　水源地を貫く中央アルプストンネル』『特集　持続不可能なリニア新幹線　連鎖する事故に滲むＪＲ東海の焦り』（以上、週刊金曜日）、『名古屋城構想、早くも落城寸前　河村たかし名古屋市長「全員切腹」発言の自縄自縛』（サンデー毎日）など。

映像作品に『リニアが来るまち』『リニア新幹線でいま何が起きているか？―現地報告』（以上、Our Planet-TV）。リニア中央新幹線の建設問題を継続して取材し、書籍化を予定している。

「表現の不自由展」で何があったのか

2022年11月22日　初版第1刷発行　定価2400円＋税

著　者　臺宏士・井澤宏明 ©
発行者　高須次郎
発行所　緑風出版
〒113-0033　東京都文京区本郷2-17-5　ツイン壱岐坂
［電話］03-3812-9420　［FAX］03-3812-7262［郵便振替］00100-9-30776
［E-mail］info@ryokufu.com［URL］http://www.ryokufu.com/

装　幀　斎藤あかね
制　作　R 企 画　印　刷　中央精版印刷・巣鴨美術印刷
製　本　中央精版印刷　用　紙　中央精版印刷・巣鴨美術印刷　E1200

ISBN978-4-8461-2216-4　C0036

◎緑風出版の本

■全国どの書店でもご購入いただけます。
■店頭にない場合は、なるべく書店を通じてご注文ください。
■表示価格には消費税が加算されます。

報道圧力
―官邸VS望月衣塑子

臺宏士著

四六判並製
二一六頁
一八〇〇円

「あなたに答える必要はありません」。菅義偉・内閣官房長官は望月衣塑子東京新聞記者の質問にこう言い放った。望月記者への質問妨害、「面前DV」、「いじめ」、腰が引ける内閣記者会。安倍政権による報道圧力に肉薄する！

検証アベノメディア
―安倍政権のマスコミ支配

臺宏士著

四六判並製
二七六頁
二〇〇〇円

安倍政権は、巧みなダメージコントロールで、マスメディアを支配しようとしている。放送内容への介入やテレビの停波発言など「恫喝」、新聞界の要望に応えて消費増税時の軽減税率を適用する「懐柔」を中心に安倍政権を斬る。

アベノメディアに抗う

臺宏士著

四六判並製
二七二頁
一八〇〇円

報道機関への「恫喝」と「懐柔」によってマスコミを支配しつつある状況は深刻化している。だが、嘘と方便が罷り通る安倍政権の情報隠しに抗う人達がまだまだいる。本書は抵抗する人々を活写し、安倍政権の腐敗を暴く。

危ない住基ネット

臺宏士著

四六判並製
二六四頁
一九〇〇円

住民基本台帳ネットワークシステムの稼動により行政にプライバシーが握られると、悪利用されるおそれがある。本書は、住基ネットの内容、個人情報がどのように侵害されるかを、記者があらゆる角度から危険性にメスを入れた。